LA CHINE À TRAVERS LES CARICATURES

Un aperçu de l'actualité en Chine illustré par les caricatures du *Quotidien du Peuple*, Beijing, avec commentaires tirés du *China Daily*, Beijing

YVES M. BLED

Présenté sous l'égide de l'Institut de développement international et de coopération (IDIC)
Université d'Ottawa

Réalisé grâce au financement du Programme de Participation du Public
de l'Agence canadienne de développement international (ACDI)

TRANSCRIPTION/PRONONCIATION DU MANDARIN

Parmi les trois principales transcriptions du mandarin qui sont en usage en Occident – la transcription anglo-américaine (Wade), la plus répandue de toutes, p. ex. Peking; la transcription de l'Ecole française d'Extrême-Orient, p. ex. Pékin; la nouvelle transcription chinoise (*pinyin*), p. ex. Beijing – nous avons retenu la dernière. Elle est la plus conforme aux normes internationales de transcription de la prononciation du dialecte mandarin. C'est également la forme suivie dans les publications chinoises que nous citons tout au long de cet ouvrage.

LA CHINE À TRAVERS LES CARICATURES

« Il n'est pas dans notre intention de dissimuler nos erreurs et nos faiblesses, car nous avons la volonté et les moyens de les corriger à bref délai»

China Daily, 19 oct. 1982

Beijing Information, 2 mars 1981

Édition anglaise: *Understanding China through Cartoons*, Société pour une meilleure compréhension de la Chine, Ottawa, 1985.

XINJIANG
(R.A.)
GANS.
(P.)
MONGOLIE INTERIEURE
(R.A.)
HEILONGJIANG
(P.)
JILIN
(P.)
LIAONING
(P.)
Beijing (M)
Tianjin
(M.)
HEBEI
(P.)
QINGHAI
(P.)
NINGXIA
(R.A.)
SHANXI
(P.)
SHANDONG
(P.)
TIBET
(R.A.)
SHAANXI
(P.)
HENAN
(P.)
JIANGSU
(P)
Shanghai (M.)
SICUAN
HUBEI
(P.)
ANHUI
(P.)
ZHEJIANG
(P.)
HUNAN
(P.)
JIANGXI
(P)
GUIZHOU
(P.)
FUJIAN
(P.)
YUNNAN
(P.)
GUANGXI
(R.A.)
GUANGDONG
(P.)
TAIWAN
(P.)
Division administrative
de la Chine
22 provinces
5 régions autonomes
3 municipalités subordonnées
directement à l'autorité centrale

TABLE DES MATIÈRES

Deuxième partie: Le processus de modernisation: Problèmes

REMERCIEMENTS

Ce projet n'eût pas été possible sans l'appui financier du *Programme de Participation du Public* de l'*Agence canadienne de développement international* (ACDI) et sa mise en oeuvre s'est opérée sous l'égide de l'*Institut de développement international et de coopération de l'Université d'Ottawa.* Versions française et anglaise de cet ouvrage ont été réalisées conjointement durant le congé sabbatique accordé à Cynthia E. Bled par le département de Science économique du *Collège Algonquin* des Arts appliqués et de la Technologie.

Chacun des collaborateurs énoncés ci-dessous ont apporté gracieusement au projet un appui en espèces ou en services professionnels. C'est le témoignage de leur contribution à une meilleure compréhension de la Chine. Nous les remercions sincèrement pour leur appui, mais également pour leur vision en encourageant une initiative encore jamais tentée dans les efforts de communication entre Orient et Occident entamés par l'Unesco à Paris il y a plus d'un quart de siècle:

- le *Quotidien du Peuple* de Beijing qui a mis à notre disposition les dessins et leurs légendes en chinois;
- l'*Ambassade de Chine* à Ottawa et l'*Association populaire chinoise pour l'Amitié avec les Pays étrangers* qui nous ont procuré une documentation variée de sources entièrement chinoises pour étayer l'interprétation des dessins;
- l'*Office national du film du Canada*, bureau d'Ottawa, pour son appui technique et son encouragement;
- la *Corporation des Musées nationaux du Canada*, pour son apport à la traduction française;
- *Jane Jin*, pour sa traduction de 900 légendes ou poèmes chinois rattachés aux dessins;
- une équipe de savants chinois en stage à Ottawa pour la vérification du contexte culturel et en particulier:

  Li Sengheng, consultation en langue française

  Zhang Gou-zhu, consultation en langue anglaise;
- *Martine Pradeau*, traduction, conseils et vérification éditoriale;
- *Roland Rainville*, *Jean Miquet* et *Frédérik de Vos*, conseils et vérification éditoriale;
- *Merle Storey* qui a apporté conseils et vérification éditoriale à tous les stades de la rédaction;
- les membres de la *Société pour une meilleure compréhension de la Chine*, qui ont apporté un concours inlassable à titres variés, ainsi que ceux du *Chinese Canadian National Council.*

Nous exprimons également notre reconnaissance à *CP Air*, à *Eastern Provincial Airways*, au quotidien *Globe & Mail*, à *K.G. Campbell Corporation* d'Ottawa et au *Frame Shop d'Ottawa* pour leur gracieuse assistance à la réalisation et au transport de l'exposition trans-canadienne des dessins qui font la trame de ce livre. Parmi les nombreux autres collaborateurs relevons tout particulièrement le montage des planches d'exposition par l'artiste *Rowena T'O Tolson.*

Les auteurs assument l'entière responsabilité du contenu et de la présentation de cet ouvrage.

Cynthia E. Bled

Yves M. Bled

Ottawa

1985

SOURCES BIBLIOGRAPHIQUES

Cette étude repose principalement sur les publications chinoises, et en particulier:

Le Quotidien du Peuple (*Renmin Ribao*, en transcription pinyin), le *China Daily*, *Beijing Information*, *La Chine en Construction*, *Chinese Youth Bulletin*, *Women of China.*

On a également cité les ouvrages suivants:

Bandes dessinées chinoises, Paris, Édition du Centre de Création Industrielle, Centre Georges Pompidou et du Centre de recherche de l'Université de Paris VIII, 1982.

Le Courrier de l'Unesco, numéro spécial, «Visages de la Chine», Paris 1982.

Dawson, Raymond, ed., *The Legacy of China*, Oxford University Press, 1964.

The Globe and Mail, Toronto.

Wu, Cheng En, *Journey to the West*, (*Xiyouji*, en transcription pinyin), trans. by W.J.F. Jenner, Beijing, Foreign Language Press, 1982.

Xiyouji, ou le voyage en Occident, traduit du chinois par Louis Avénol, Paris, Ed. du Seuil, 1957, nouv. éd. 1968, 2 vol.

PRÉFACE

Les 356 caricatures reproduites dans cet ouvrage proviennent presque en totalité du *Quotidien du Peuple*, journal d'envergure nationale, imprimé dans 23 villes différentes, avec un tirage de cinq millions, le premier rang au monde. La trame d'interprétation de ces caricatures repose en majeure partie sur le quotidien de langue anglaise, le *China Daily* de l'année 1983[1]. Un panel de savants chinois en stage à Ottawa a apporté un complément important d'information contextuelle[2].

L'intention de cette publication n'est pas d'ajouter une autre étude à la longue succession de perceptions occidentales de la société chinoise parues au cours des dernières décennies. Par contre, inspirés de la méthode ethnologique favorisant la vision de la société par l'intérieur, nous avons tenu, avec le support direct de l'image, à dégager une meilleure compréhension du pays par l'idée que les Chinois eux-mêmes se font de leur propre société. Notre texte s'est donc basé sur des sources chinoises exclusivement, critiques ou non de la situation dans le pays. L'idée sous-jacente à cet ouvrage est que le système chinois vu dans son intégrité intérieure, sous ses bons comme ses mauvais côtés, apportera au monde extérieur à la Chine une base de départ plus authentique pour apprécier les aspirations, les problèmes et les réalisations du peuple chinois, et par conséquent, la logique de son gouvernement face à ses actes et à ses déclarations.

Étant donné la grandeur de la Chine et sa diversité tant physique que sociale, tant culturelle qu'économique, il est pratiquement impossible de se faire une idée valable du pays par de simples visites sur place. Parfaire de telles visites par la lecture d'ouvrages occidentaux sur la Chine risque trop souvent de révéler les idées préconçues de l'auteur plus que la Chine elle-même. Par un séjour en Chine, même prolongé, on ne peut se référer qu'à des observations circonscrites dans une expérience personnelle. Par contre, les caricatures, pénétrant subtilement au coeur de l'actualité, dénotent le jeu des rapports existant au sein du public et entre le public, le gouvernement et les diverses instances de la collectivité.

Le nombre de caricatures peut varier énormément d'une section à l'autre; ce seul fait donne un indice des préoccupations et des priorités propres à la période examinée. Par exemple, l'importance de la section C, «Pollution morale», correspond à la campagne mise alors en oeuvre pour combattre des tendances inacceptables dans la société. De même, la section J «Personnel et gestion» souligne par son importance les préoccupations du gouvernement face à la politique de modernisation.

Dans le souci d'une présentation claire on s'en est tenu à un minimum de texte en donnant la parole à l'image. Les notes en bas de page apportent les précisions jugées nécessaires au message principal, d'où, dans certains cas, leur importance démesurée qui leur donne un caractère de lectures supplémentaires. Dans l'esprit de la tradition chinoise on a choisi d'incorporer au texte les originaux et les traductions de plusieurs poèmes satiriques qui accompagnent régulièrement et renforcent les caricatures dans les pages dessinées de la presse chinoise.

---

[1] Les notes en bas de page et autres références au *China Daily*, 1983, font abstraction du nom du journal et de l'année '83. On indique seulement le jour et le mois. Ainsi, toute indication portant le jour et le mois sans mentionner le journal et l'année se réfère au *China Daily* 1983. Toute référence comprenant l'année mais non le journal se réfère au *China Daily* pour l'année indiquée.

[2] Dans certains cas les caricatures laissent percevoir une intention différente de celle envisagée par le caricaturiste. On l'a constaté dans les variations d'interprétation offertes par nos informateurs chinois en stage au Canada. Toutefois, il y a concordance quant à leur conclusion sur l'impact du message.

Préface

La fameuse parole de Mao Zedong « Tout change sans cesse » a cours aujourd'hui plus que jamais, ainsi au moment de la parution de cet ouvrage certaines des situations décrites auront-elles déjà évolué. L'important c'est que le lecteur ait acquis dans ces pages une idée suffisante et une appréciation des forces vives du changement qui anime actuellement la Chine. En particulier, les experts techniques et les spécialistes du développement trouveront dans ces pages les trames de fond de ce qui est à la fois particulier à la Chine et universel au monde. Il en sera de même pour la personne d'affaires qui transacte en Chine, pour le sinologue et pour le voyageur curieux de s'instruire de la situation actuelle. Cependant, l'approche adoptée est suffisamment générale pour satisfaire le professeur ou l'étudiant et quiconque désire simplement découvrir comment vit aujourd'hui le quart de l'humanité.

INTRODUCTION

Le dessin humoristique ou la caricature sont souvent satiriques. Ils servent de miroir social et exposent des problèmes constatés ou supposés dans les affaires nationales et internationales. Là où la liberté d'expression est respectée, le dessinateur ou caricaturiste critiquent par l'image les activités économiques, politiques et sociales dont il est témoin. Les gens, qu'ils sachent lire ou non, sont réceptifs aux messages véhiculés par les dessins humoristiques; aussi les gouvernement instables et peu populaires contrôlent-ils souvent leur publication. Dans certains cas, le dessinateur humoristique fait office d'agent d'information non officiel en propageant, par ses oeuvres artistiques, les idées que le gouvernement souhaite transmettre à la population.

En Chine, on a découvert dans des sépultures de la dynastie Han (25 à 220 après J.-C.) des versions originales de dessins humoristiques; c'est ce genre d'iconographie que les défenseurs du bouddhisme exploitèrent au VIe siècle pour inspirer et pour instruire. Pour ce qui est de la critique sociale, l'un des plus anciens exemples fut l'attaque lancée contre l'administration et la police au moyen de dessins humoristiques et de bandes dessinées dans le journal révolutionnaire *Le Cri du Peuple*, paru à Shanghai en 1909[1].

Les périodes de bouleversement national et de changement révolutionnaire ont suscité en Chine une véritable effervescence de dessins humoristiques. Par exemple, sous le gouvernement de coalition communiste-nationaliste en 1926, des auteurs de slogans et des dessinateurs incorporés à l'armée révolutionnaire veillaient à ce que tous les murs soient couverts d'images et de messages didactiques dans tous les villages où ils passaient[2].

Après la fondation de la République populaire, en 1949, le gouvernement recourut au dessin humoristique, à la caricature et à d'autres formes d'art pour contribuer à l'édification du socialisme. Ces oeuvres soulignaient les progrès scientifiques et économiques, stimulaient le patriotisme et encourageaient l'effort économique.

Par exemple, cette satire de l'inconfort du cadre (O.1) exprime une critique subtile sans animosité.

O.1

« Ce n'est pas de l'art, c'est juste pour rire. »

1 *Bandes dessinées chinoises*, Paris, Édition du Centre de Création Industrielle, Centre Georges Pompidou et du Centre de recherche de l'Université de Paris VIII, 1982, p. 9–10.

2 *Ibid.*, p. 12.

Introduction

Les dessins humoristiques servirent à attaquer sévèrement les cadres[1] de tous les niveaux pendant la Révolution culturelle de 1966 à 1976. Après la mort de Mao Zedong (1976) et le renversement subséquent de la Bande des Quatre[2], ils prirent de l'envergure, demeurant un instrument de critique sociale et de propagande du gouvernement, mais devenant également un moyen de critiquer et de réorienter les programmes gouvernementaux et leurs exécutants.

Quatre pages d'encarts de dessins humoristiques paraissent deux fois par mois dans le *Quotidien du Peuple*, de Beijing. Ce journal gouvernemental s'adresse à un public de plus en plus alphabétisé, dans les campagnes aussi bien que dans les villes. Grâce à ces dessins, les « anciens illettrés » qui savent à peine lire peuvent ainsi saisir l'esprit de dynamisme de la Chine moderne, ses réalisations et ses aspirations, ainsi que les problèmes sociaux ou techniques concomittants. L'influence traditionnelle des dessins humoristiques n'a donc pas diminué, malgré la popularité croissante de la télévision[3].

---

1 Le terme *cadre* est largement utilisé en Chine et dans le présent ouvrage pour désigner tous les *cols blancs*, ainsi que toutes les personnes exerçant une autorité, y compris les paysans.

2 Dirigée par Chiang Chin (femme de Mao Zedong), qui fut arrêtée puis condamnée à la prison à vie pour avoir, notamment, commis des atrocités contre des milliers de personnes et compromis la révolution chinoise pendant la Révolution culturelle.

3 Renseignements obtenus auprès d'érudits chinois en stage au Canada.

La série *Épisodes dans la vie des plantes* (O.2) est un autre exemple de la façon dont les dessinateurs humoristiques véhiculent des messages au moyen d'idées familières.

O.2

O.2a / Chirurgie arboricole
O.2b / De Canton à Pékin
O.2c / Hausse des prix
O.2d / «C'est un ami qui me l'a offert!»
Épisodes dans la vie des plantes

O.2a Intérêt général à l'égard des plantes[1].
O.2b Le transport des plantes, depuis Canton dans la zone tropicale jusqu'à Beijing, ville du Nord, symbolise l'unité nationale.
O.2c Les prix montent avec la demande: les familles répondent à la campagne de plantation d'arbres en achetant des plants[2].
O.2d Scène familiale. Un mari justifie son achat en disant qu'il s'agit du cadeau d'un ami.

---

[1] Il existe dans toute la Chine des étendues de sol dénudé parce qu'on a déboisé inconsidérément par le passé. Diverses campagnes de plantation d'arbres ont été lancées depuis les années 50 pour combattre l'érosion causée par le vent et par l'eau. La campagne actuelle porte également sur les plantes d'embellissement.

[2] Cette scène reflète le nouvel ordre économique de la Chine aujourd'hui. Avant 1976, les prix étaient strictement contrôlés et il n'y avait pas de place pour le marchandage.

O.3

Ces dessins mettent en évidence divers problèmes qui se posent à la Chine. Par exemple:

– les éternels geignards (O.3);
– et ceux qui ne participent pas à l'effort de développement, mais suivent simplement les autres (O.4).

O.4

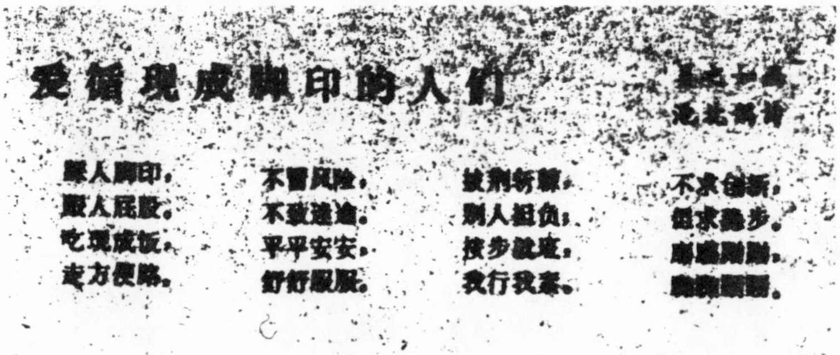

Ceux qui ne font que suivre les traces des autres

Les suiveurs (O.4)

«Marcher sur les traces des autres,
les suivre,
Se faire donner la becquée,
Fouler les chemins faciles

Sans courir de risque,
en évitant de se perdre,
En toute sécurité . . .
Dans le confort . . .

Couper des herbes pour recouvrir la route,
je laisse ce soin à d'autres
Avancer sans se presser, pas à pas,
voilà mon attitude.

Sans innovation.
Je suis sain et sauf
j'avance lentement . . .
en hésitant . . .»

Le gouvernement chinois répète souvent que la Chine est un pays communiste, mais que le genre de communisme que l'on y pratique maintenant diffère de celui des années antérieures. Par exemple, les auteurs chinois considèrent comme «gauchistes» les politiques économiques antérieures à 1976, par opposition au programme actuel de modernisation.

Le pays explore constamment de nouveaux moyens d'instaurer et d'accélérer le développement au sein de sa structure socialiste, et le gouvernement n'a aucun scrupule à modifier les politiques et programmes en cours, après avoir évalué les pratiques courantes et les conséquences futures.

Les illustrations de O.5 à O.9 (avant et «maintenant») mettent en évidence certains contrastes entre la vie dans la Chine d'aujourd'hui et dans la Chine d'avant 1978.

L'un des aspects du changement se manifeste dans le mode de vie des gens. La plupart d'entre eux ne se croient pas tenus de considérer le travail et l'édification de la nation comme les seuls buts de la vie, attitude que prônait la philosophie de la Révolution culturelle.

De plus en plus, les gens s'adonnent à des activités personnelles tout en cherchant à améliorer la qualité de leur vie de manière que les couples ne soient plus tenus de consacrer leurs congés «au lavage, au repassage, aux courses et à la cuisine» et aient plus de temps pour les liens de sociabilité et les loisirs. (6 octobre)

Dans la Chine d'avant 1978 («avant») les gens se rendaient au travail vêtus uniformément «de bleus». (O.5a)

O.5a

Sonnerie: La journée de travail commence

Autrefois: Apparence uniforme

O.5b

Sonnerie: Fin de la journée

共性与个性 姜振民

Aujourd'hui: Styles personnels

L'amélioration de la «qualité de la vie» permet à chaque ouvrier d'exprimer un «style individuel de son choix» après le travail. (O.5b)

O.6 (a) *Autrefois: Beaucoup de slogans, peu d'action*

On tente de compter moins sur l'endoctrinement par slogans, pratique associée surtout à l'ère de la Révolution culturelle. (O.6)

(b) *Aujourd'hui: Beaucoup d'action, peu de slogans*

如今做得多

Le niveau de vie s'est amélioré au point où les citadins sont difficiles dans le choix des aliments qu'ils consomment: « De nos jours, la situation du peuple s'est quelque peu améliorée, et il est compréhensible que l'on réduise la consommation de choux pour inclure divers légumes dans son régime[1]. » (11 nov.)

O.7 (a)

从前待烤的鸭排队，吃的人少。

Autrefois: Canards à la broche dans l'attente de clients

(b)

如今尽管敞开供应，仍嫌"供不应求"。

Aujourd'hui: Clients dans l'attente de canards à la broche

De nos jours, les gens fréquentent souvent les restaurants tandis que, par le passé, ils en avaient rarement la possibilité. (O.7)

---

[1] Le gérant des magasins de légumes de Beijing.

Le gouvernement encourage la politesse et le respect d'autrui, qui contribuent à faire d'une sortie au restaurant une expérience agréable. (O.8)

O.8 **(a)**

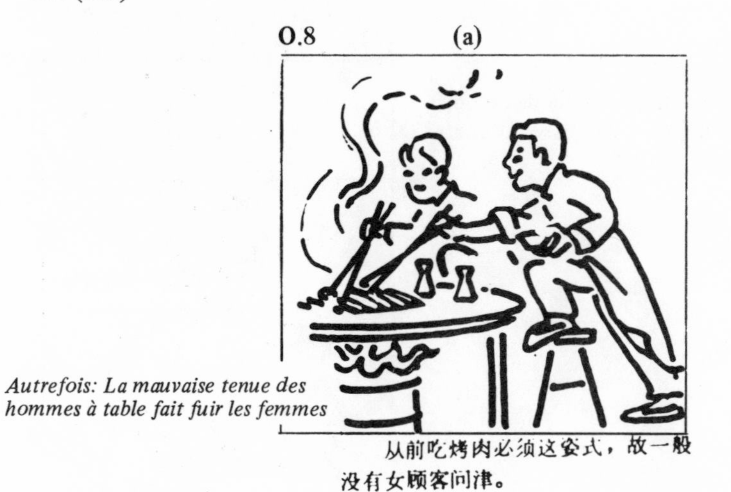

Autrefois: La mauvaise tenue des hommes à table fait fuir les femmes

从前吃烤肉必须这姿式，故一般没有女顾客问津。

(b)

如今多是由服务员代烤，更方便顾客就餐了。

Aujourd'hui: Femmes servies par des garçons

Les familles peuvent maintenant passer des heures de loisir au zoo pour observer une variété croissante d'animaux. Auparavant, on n'y trouvait que quelques bêtes. (O.9)

O.9 **(a)**

从前所谓的「万牲园」（动物园），在解放前只剩下几只鸵鸟、几只猴。

Autrefois: Peu d'autruches et de singes au zoo!

(b)

如今，珍禽、异兽不计其数，每天接待由全国各地来的游人。

Aujourd'hui: Toutes sortes d'animaux rares et de grande valeur provenant des quatre coins du pays

Introduction

Les dessins humoristiques ne sont pas toujours de conception originale. **Le message y est plus important que l'originalité de l'art.** Leur but fondamental est d'alerter, de faire réfléchir, de corriger et d'atteindre le but désiré.

O.10

Parfois les dessins sont des modifications à peine déguisées d'images anciennes. (O.10)[1]

O.11

——开 门! *Toc, toc, toc!* 江 帆

Ils peuvent également être des adaptations inspirées de la presse étrangère. (O.11)

---

[1] La version originale du bouvier et de sa flûte (sans le transistor) se trouve dans *Le jardin des grains de moutarde*, 1679–1701, reproduit dans *Le Courrier de l'Unesco*, décembre 1982, p. 16. Des variations sur ce thème apparaissent dans de nombreuses peintures modernes chinoises.

PREMIÈRE PARTIE
APERÇU GÉNÉRAL

A. LE «MOUVEMENT DE RESPONSABILITÉ»

Le «Mouvement de Responsabilité», introduit en 1979, encourage la décentralisation des responsabilités afin d'accélérer les Quatre Modernisations de la Chine[1]. Les individus et les unités de production sont encouragés, non seulement à atteindre les quotas, mais à maximiser la production par tous les moyens possibles et à en partager personnellement les fruits.

A.1

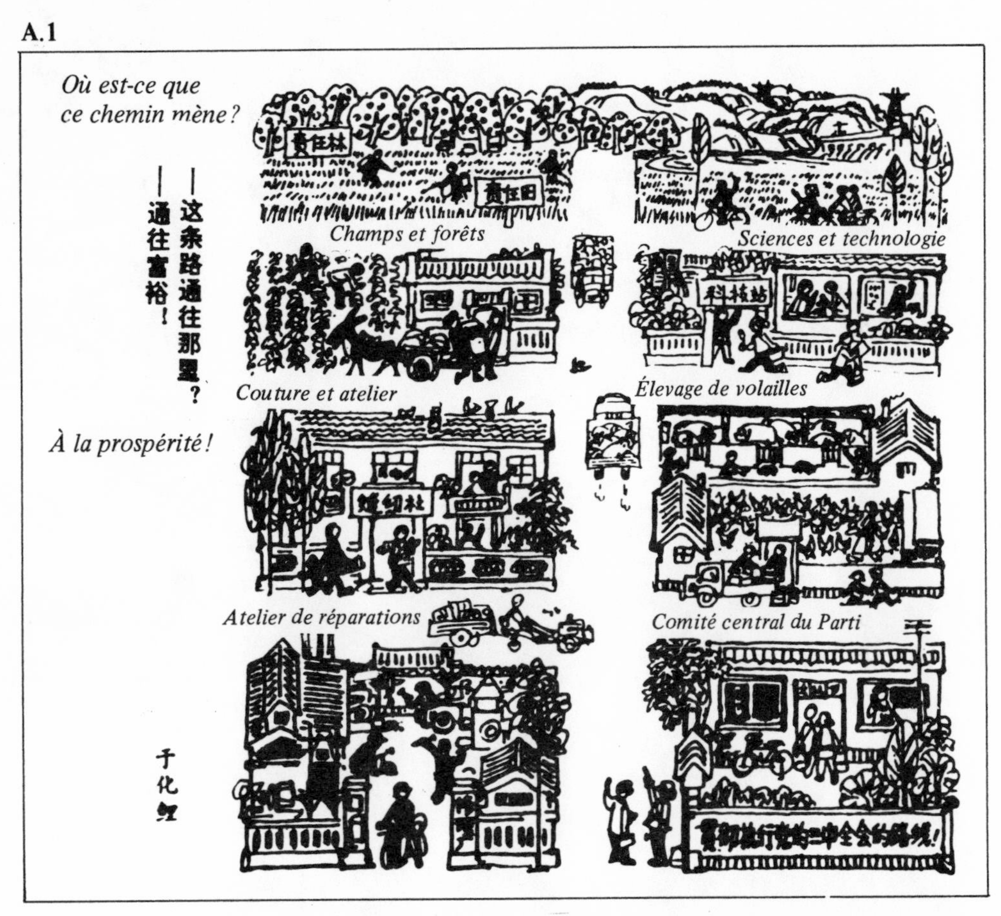

La «voie» de la prospérité relie le revenu et le travail, de sorte que ceux qui contribuent le plus gagneront le plus. (A.1)

Le «Mouvement de Responsabilité» décourage l'égalitarisme passif où certains se cantonnent, en profitant simplement des efforts productifs d'autrui. On vise à remplacer cette attitude passive par un système de participation et de rémunération proportionnelle.

---

[1] Les Quatre Modernisations: science, agriculture, éducation et technologie.

Le mouvement fut d'abord introduit, et bien accueilli, dans les campagnes. (A.2)

A.2

Ces années-ci, nous obtenons tous de gros contrats du gouvernement

A.3

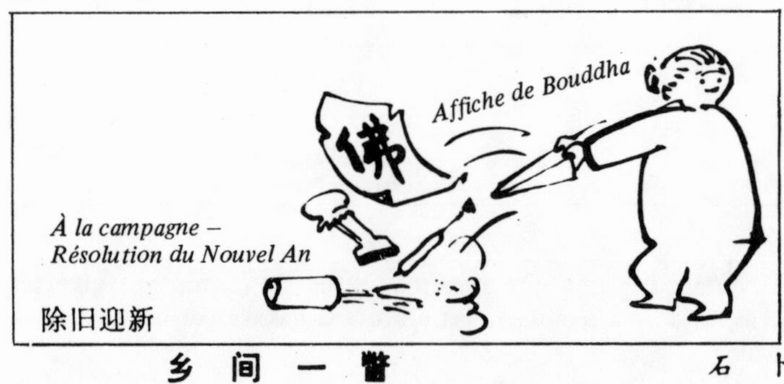

Le neuf succède au vieux

Les paysans ont dû rejeter les vieilles coutumes et idées, et se montrer réceptifs aux nouvelles idées et pratiques compatibles avec le progrès économique. (A.3)

A.4 *Osez être riches!*

«La politique du Parti à l'égard de la richesse restera la même.»

À cause du harcèlement auquel donna lieu la Révolution culturelle, le gouvernement a jugé nécessaire d'assurer à maintes reprises paysans et citadins qu'il n'y aurait aucun changement dans la politique du Parti qui encourage le labeur et les gains personnels qu'il rapporte[1]. (A.4)

---

[1] Un article du *China Daily* (24 déc.) situe ces craintes dans leur contexte:

«J'ai récemment entendu dire qu'un jeune couple de Guangzhou avait ouvert un restaurant où l'on servait du canard. Ces jeunes travaillèrent dur pendant trois ans et firent un bénéfice de 30 000 yuan. Puis, soudain, sans préavis, ils fermèrent le restaurant et annoncèrent qu'ils n'avaient pas l'intention de le réouvrir. Les autorités municipales leur demandèrent pourquoi, mais ils ne répondirent pas.

En privé, ils révélèrent à leurs amis: «Nous avons gagné assez d'argent. Lavons-nous les mains avant que le Parti communiste ne s'avise de ce que nous faisons.»

En outre, j'ai récemment appris qu'il existe, dans une circonscription d'Anhui, un grand champ qui se prête à la culture du safran, herbe utilisée dans la médecine traditionnelle. Pendant deux ans, les paysans ont tiré un grand profit de cette culture, puis, cette année, l'ont remplacée par du blé car, d'après eux, «deux années de grands profits suffisent.»

Il semble qu'il persiste des doutes sur la politique du Parti visant à favoriser la prospérité par le labeur. Le jeune couple de Guangzhou, par exemple, pensait que son bénéfice de 30 000 yuan avait échappé à l'attention du Parti communiste. En fait, c'était le contraire qui s'était produit: ils avaient gagné l'argent parce que le Parti s'était ravisé et désirait corriger les fautes passées.

La glorification de la pauvreté et l'anathème jeté sur la richesse étaient des erreurs historiques qui furent corrigées pendant le troisième plénum du 11e Comité central du Parti en 1978. La nouvelle politique visant à encourager la prospérité est appliquée avec détermination. Il ne s'agit aucunement d'un expédient.»

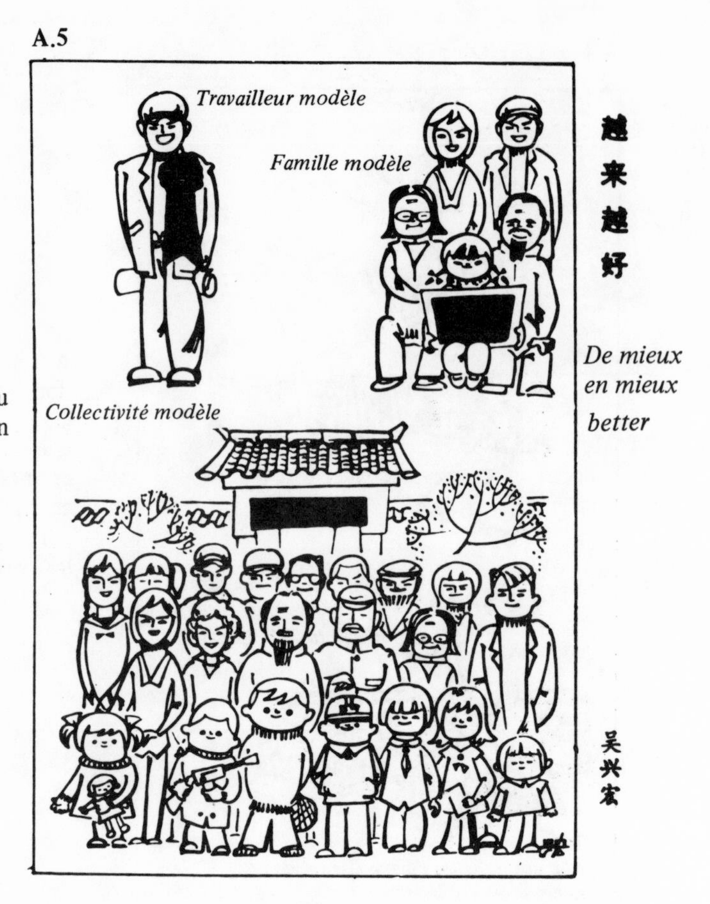

Un ouvrier «modèle» dans le nouveau système est comme la fleur rouge d'un ancien poème chinois:
« Un jardin plein de fleurs de printemps
ne peut les enfermer toutes,
et une fleur de prunier rouge
se montrera par-dessus le mur.»
(A.5)

« Ceux qui s'enrichissent les premiers sont comme la fleur rouge de prunier qui sera bientôt suivie par d'autres» (24 décembre). Voilà la base essentielle du « Mouvement de Responsabilité ». À mesure que chaque ouvrier améliore sa productivité et sa production, le revenu de sa famille s'accroît en conséquence. Si tous les ouvriers d'une collectivité saisissent les occasions offertes par le système et améliorent leur situation économique, toutes les familles de la collectivité en tireront profit. La collectivité entière, formée du total des familles, bénéficiera ainsi de la nouvelle situation. (A.5)

Si l'on multiplie l'expérience d'une collectivité par le nombre de collectivités du pays, ce dernier tout entier bénéficiera des efforts individuels de chaque travailleur.

A.6 *«Scènes du Mouvement de Responsabilité»*

À présent, tout le monde est plus à l'aise matériellement

Le «Mouvement de Responsabilité» est collectif et embrasse toutes les minorités nationales. (A.6)[1]

Les paysans prospèrent parce que l'on a encouragé la productivité et les occupations secondaires[2]. Par exemple, un paysan qui, en 1979, empruntait de l'argent pour «démarrer» pouvait jeter ses haillons et revenir en 1983 avec des cadeaux. (A.7)

Le *China Daily* explique ainsi la satisfaction des paysans: «Ils ont récupéré le pouvoir de décision sur les grands aspects de leur vie, grâce au «Mouvement de Responsabilité». Ils peuvent maintenant décider comment utiliser la terre, répartir leur travail et organiser leurs journées. Ils sont vraiment les «maîtres de la terre». (30 nov.)

A.7

Voeux du Nouvel An

---

[1] Il y a environ 51 minorités nationales dans tout le pays. Elles bénéficient d'une entière égalité avec le groupe majoritaire et dominant des Han.

[2] Les occupations secondaires peuvent être collectives ou privées: artisanat, transport, construction, vente au détail, alimentation et services. De 1979 à 1982, la production de ces entreprises s'est accrue de plus de 40 p. 100, «surpassant celle des entreprises de l'État.» Elles sont encouragées dans la mesure où il n'y a aucune exploitation au sens socialiste, comme l'engagement d'autres personnes que les membres de la famille pour la production privée. (26 oct.)

A.8

Souriants dans l'abondance

Production accrue grâce au «Mouvement de Responsabilité». (A.8)

L'initiative de production déclenchée par le «Mouvement de Responsabilité» se heurte à un certain nombre de problèmes nouveaux, dont plusieurs sont mentionnés dans le présent ouvrage[1]. Le mouvement est comparable à l'émotion qui entoure l'accueil d'une nouvelle épouse dans la famille. «Lorsqu'elle franchit le seuil, tout le monde est heureux. Tous, de la belle-mère à la plus jeune belle-soeur, chantent ses louanges. Quelques jours après, cependant, le conflit commence déjà à se manifester . . . La nouvelle épouse apporte des problèmes dans son sillage.» (30 nov.)

Le gouvernement a réagi aux problèmes par une condamnation ouverte et une orientation idéologique accrue. (30 novembre) Simultanément, les progrès associés au mouvement l'emportent sur les inconvénients, et l'on prend des mesures pour introduire le concept à tous les niveaux d'unités de production, dans tout le pays.

---

[1] Notons que ces problèmes ne sont pas inhérents au mouvement, mais se manifestent davantage du fait de la décentralisation des pouvoirs entraînée par le système. Voir, par exemple, les sections C. Pollution morale, E. Logement, J. Gestion, K. Questions variées d'infrastructure économique.

B. DANS LES VILLAGES

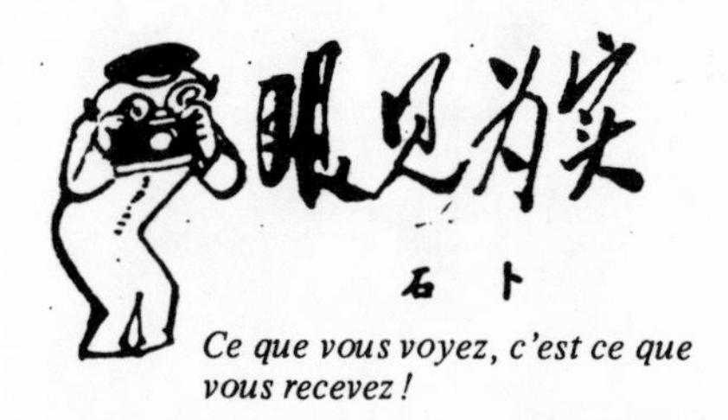

Ce que vous voyez, c'est ce que vous recevez !

B.1

Regardez nos bols ! 请看碗里

B.2

Regardez nos granges ! 请看仓里

B.3

Regardez notre maison ! 请看家里

B.4

Regardez nos économies ! 请看我们心里

Un confort matériel accru et un plus haut niveau de vie pour les paysans. (B.1–B.4)

Dans les villages

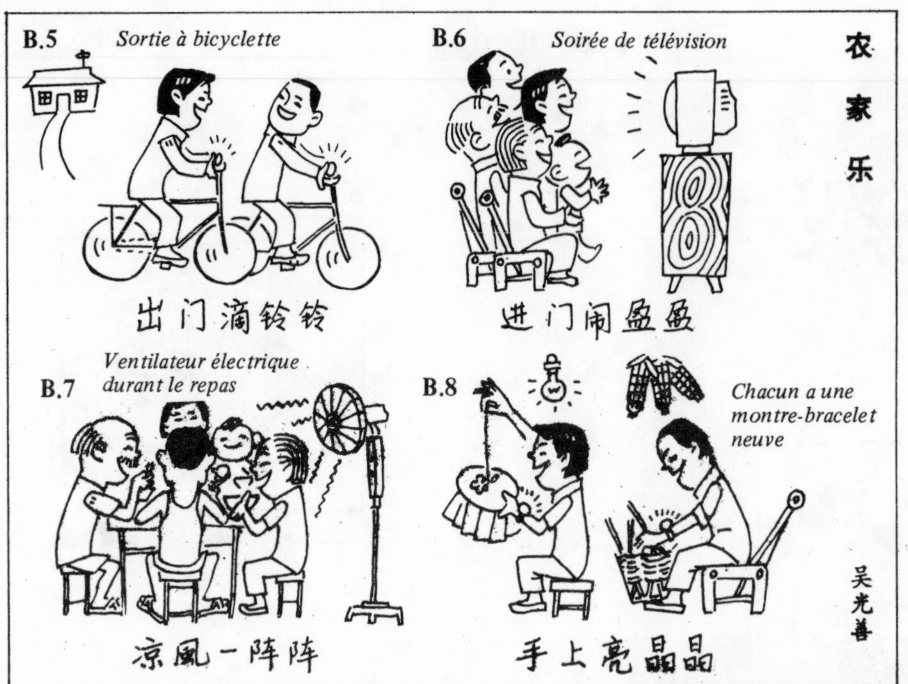

La vie dans un village chinois prospère. (B.5–B.8)

« Les villageois ne se contentent plus d'échanger des graines de légumes lorsqu'ils se visitent. Ils s'arrêtent maintenant pour admirer les chrysanthèmes et les roses de leurs hôtes, et en obtenir quelques boutures. Les ouvrages sur la culture des fleurs font maintenant partie des livres de chevet[1]. » (9 nov.)

B.9

窗 花 «*La plante de fenêtre*» 翟军海

Les illustrations de papier, qui servaient auparavant à décorer la fenêtre, sont remplacées par un téléviseur[2]. (B.9)

---

[1] Mary Sheridan Chen, professeur à l'Université de Toronto, lors d'une visite prolongée à la brigade Jingang, province du Sichuan, dans un article du *China Daily*. (9 nov.)

[2] Posséder un téléviseur est un nouveau but social, comme c'était le cas pour une montre, une machine à coudre ou une bicyclette dans la Chine d'avant 1978. En juin 1984, chaque ménage de paysans d'une brigade de Suzhou, province du Jiangsu, possédait un téléviseur. (*La Chine en construction*, juin 1984, p. 35)

B.10

Les paysans, spécialement les jeunes, recherchent les styles modernes. Les jeunes femmes portent de moins en moins les cheveux coupés court ou les nattes, ainsi que les pantalons et vestes unisexes de couleur foncée, de rigueur pour tous jusqu'en 1978. (B.10)

村姑新扮 *Nouveautés pour jeunes campagnardes*

B.11

Bonnes nouvelles des villageois

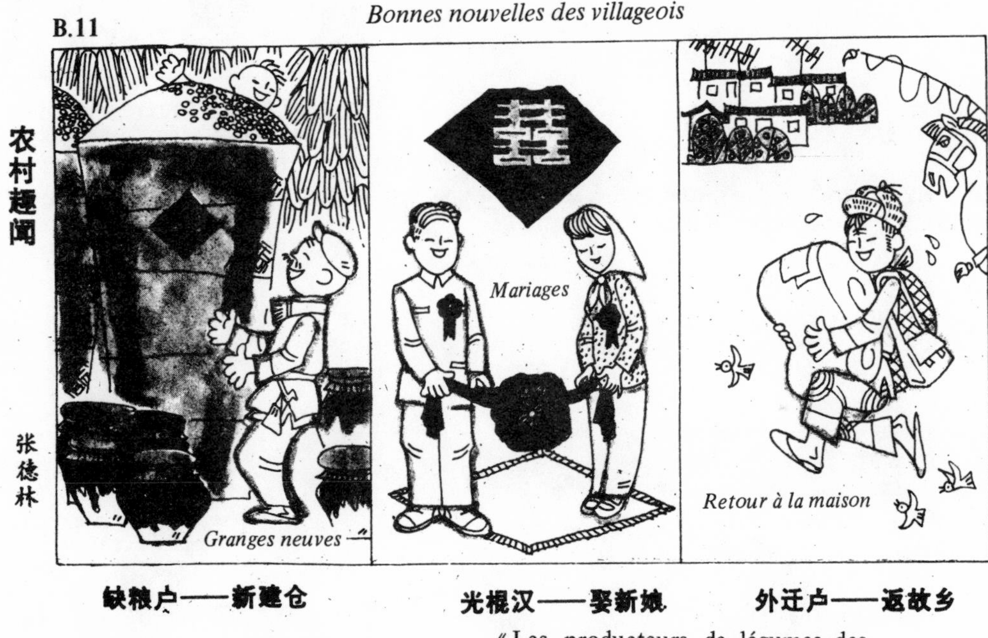

« Les producteurs de légumes des banlieues sont plus riches que les ouvriers citadins » et une somme de 200 à 300 yuan ne représente pas grand chose à leurs yeux[1]. (1er juillet) (B.11)

La circonscription de Kunshan, province du Jiangsu, est un exemple de zone rurale aux modes de vie en évolution. Ici, les habitants servent maintenant des boissons gazeuses et du thé aux visiteurs, et non simplement de l'eau comme par le passé, et, l'été, ils boivent du vin mousseux léger. La consommation annuelle moyenne d'articles ménagers par groupe de 100 personnes dans le comté était ainsi évaluée en 1983: 317 pains de savon de toilette; 70 bouteilles d'eau de cologne; 303 boîtes d'encens anti-moustiques; 60 bouteilles d'anti-insectes; 260 boîtes de détergents. (12 juillet)

---

1 Le gérant du magasin de meubles Xisi, le plus gros de Beijing.

B.12

战士又来俺家住 *Le retour du soldat* 李二宝

La plupart des zones d'habitation en Chine aujourd'hui possèdent l'eau courante. (B.12)[1]

La recherche d'une productivité accrue est une entreprise continue, et, selon le cas, on modifie ou on maintient les programmes établis[2].

On étudie constamment de nouvelles méthodes d'agriculture. (B.13)

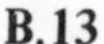

B.13

小 牛 学 耕 *Veau qu'on essaie d'habituer au labour* 周盛東

---

[1] Dans le premier dessin, un soldat reconnaissant apporte de l'eau en cadeau à une vieille dame qui lui a autrefois fourni le gîte, mais il apprend que l'urne renferme de l'huile et non plus de l'eau.

[2] Au nombre des programmes qui se sont développés considérablement figure la flotte aérienne agricole, qui fut employée pour la première fois en 1951 et comprend maintenant plus de 200 avions. Son efficacité a été démontrée et elle offre à 28 provinces, municipalités et régions autonomes une gamme étendue de services: plantation de prairies, épandage d'engrais, sarclage, lutte contre les insectes et animaux nuisibles, et, plus récemment, ensemencement de nuages et détection des incendies. (1er nov.)

B.14

Vieux soldat apprenant de nouveaux trucs

Les fermiers qui savent lire sont maintenant avides de livres sur la science et la technologie agricoles[1]. (B.14)

B.15

废寝忘食

Cesser de manger et dormir pour l'amour de la télé

Les programmes de télévision éducative sont également de plus en plus populaires. (B.15)

---

[1] De 1979 à 1982, 29 maisons d'édition ont publié 2 200 titres dans ce domaine, sans arriver à répondre à la demande. L'ampleur du marché pose également un problème de diffusion, et souvent le tirage est épuisé avant que les livres aient pu atteindre certaines librairies rurales. (15 nov.)

Vu la forte proportion d'illettrés dans les régions rurales, les paysans ne bénéficient pas tous également de l'information technologique disponible. En moyenne, la proportion d'illettrés est plus forte chez les agriculteurs pauvres que chez les fermiers aisés. Par exemple, seulement 5 p. 100 des ménages ruraux sont abonnés à des journaux et revues, mais ceux qui le sont en vantent les avantages (10 août). Un paysan de la région de Shanghai signalait qu'entre 1969 et 1979, aucun ménage de son village n'avait été abonné à un journal. Le seul journal reçu appartenait à l'équipe de production. Les paysans se partageaient tous le journal de la façon suivante: les femmes pour couper des patrons de chaussures, les hommes pour rouler les cigarettes. Par contraste, la moitié du tirage des journaux et revues de Chine est maintenant envoyée dans les communes.

Le paysan mentionné plus haut cite son expérience personnelle, la même que celle de milliers de gens qui ont réussi en Chine depuis 1978. En 1981, il lut dans un journal de Shanghai que l'on employait des scarabées broyés à des fins médicinales. Il se rendit alors à Shanghai pour apprendre comment en faire l'élevage et ensuite, fonda sa propre entreprise. En 1982, il avait gagné 2 250 yuan. Avant 1979, précisa-t-il, on l'aurait considéré comme un «déviationniste capitaliste» pour avoir pris une telle initiative, «mais, de nos jours, les nouvelles politiques du Parti encouragent les paysans à prospérer par leur travail. Beaucoup d'entre eux constatent qu'à lui seul, le labeur ne produit pas nécessairement de bons résultats. Il faut aussi apprendre la science et la technologie et se renseigner. Par conséquent, les journaux et revues sont devenus de bons compagnons.» (24 nov.)

B.16

Double prime
– *une de 10 000 livres de grain*
– *une autre pour l'élevage de 100 poulets*

« . . . De nos jours, les nouvelles politiques du Parti encouragent les paysans à prospérer par leur travail[1]. » (B.16)

---

[1] Voir la page 21.

B.17 *Une nouvelle conception du village*

B.17a

6 000 yuan de mon petit pécule

B.17b *La boîte de Pandore – des milliers de dollars provenant de l'aquiculture*

农村新景

水产收入万元以上

聚宝盆

陈藏子

On tire des milliers de yuan de l'aviculture et d'une « boîte de Pandore », l'aquiculture. (B.17a, B.17b)

Les paysans n'ont plus besoin de compter sur le soleil pour connaître l'heure. Maintenant, ils « baissent la tête » pour regarder leur montre. (B.17c)

Le progrès de l'élevage est représenté par un cortège de moutons qui descendent d'un plateau un peu sous la forme d'une chute d'eau. (B.17d)

B.17c

Autrefois: On levait la tête pour savoir l'heure

Aujourd'hui: On baisse la tête

B.17d

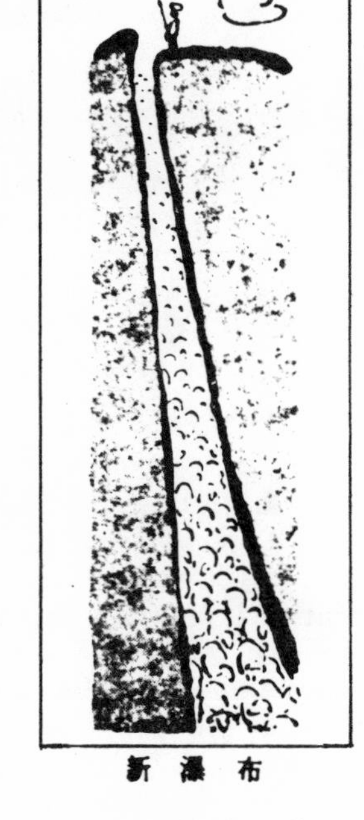

La nouvelle chute d'eau des paysans

B.18

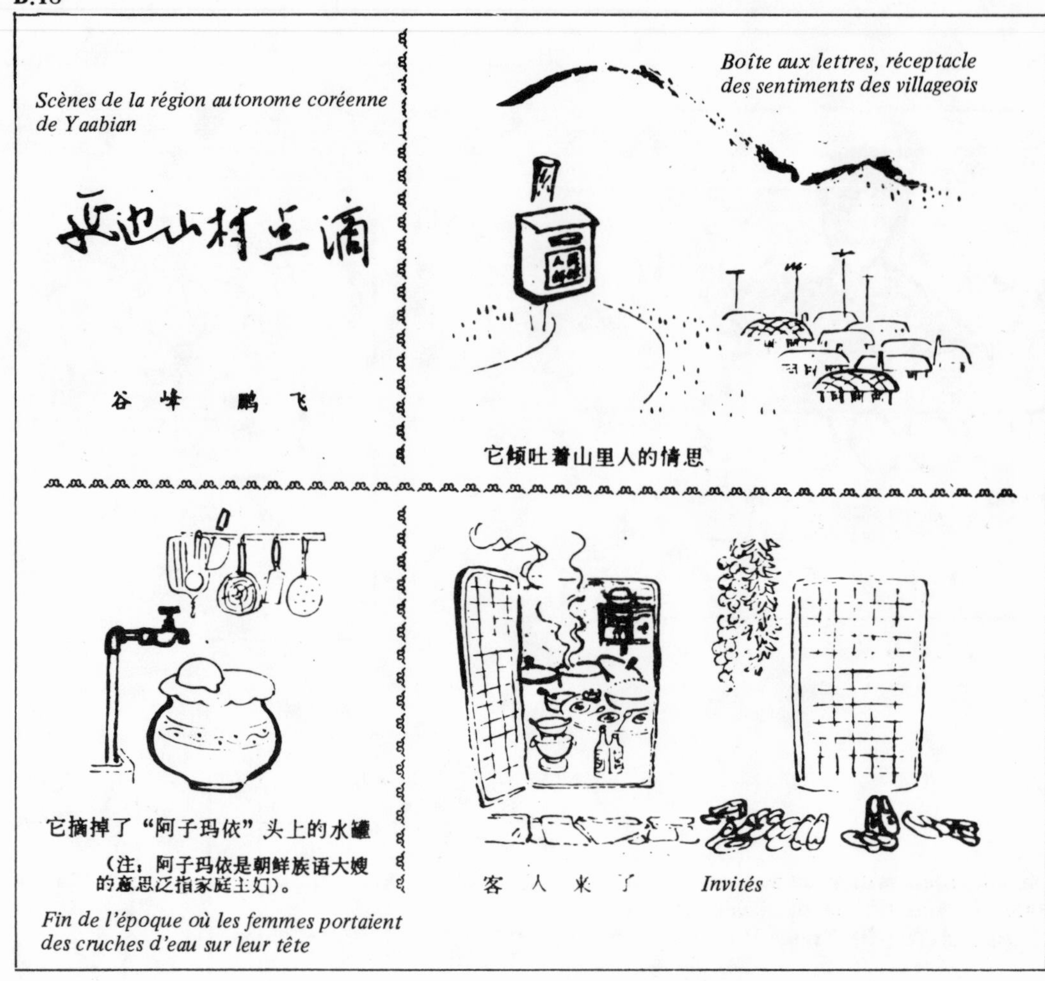

Scènes de la région autonome coréenne de Yaabian

Boîte aux lettres, réceptacle des sentiments des villageois

Fin de l'époque où les femmes portaient des cruches d'eau sur leur tête

Invités

Le changement est évident dans toute la Chine rurale, depuis les régions autonomes (B.18) jusqu'aux villages de pêcheurs littoraux.

On peut mesurer la portée du changement dans une brigade côtière de la province de Fujian où, avant 1956, les gens vivaient dans de petites embarcations à l'embouchure de la Minjiang, incapables d'affronter la haute mer. On les appelait « orteils tordus » à cause de la difformité qu'entraînait le fait de marcher constamment pieds nus sur les bateaux. En 1982, cependant, le revenu familial moyen était passé à 10 000 yuan par année. Aujourd'hui, le secrétaire du Parti de ces anciens « gens de bateaux » possède une maison de 28 pièces à quatre étages, avec terrasse, et bon nombre des membres de la brigade vivent dans des maisons de deux à quatre étages. À ceux qui lui disaient en plaisantant: « Tu devrais faire attention, tu es trop riche. », le secrétaire du Parti a répondu: « Le gouvernement m'y encourage[1]. » (21 juin)

---

[1] Malgré les assurances du gouvernement, certains villageois se sentent mal à l'aise dans leur richesse. Voir p. 21.

Les citadins riches se plaignent d'une pénurie de porc maigre[1]. (B.19)

B.19

寄希望于猪年 左 川

« L'année du cochon va bon train »

B.20

王老汉新事 曾志巩

Changements chez M. Wang

Un villageois reconnaissant constitue une salle de lecture qu'il partagera avec les membres de la communauté[2]. (B.20)

---

1 Le plan quinquennal actuel comprend un soutien de l'État aux agriculteurs et prévoit l'élevage d'animaux de races améliorées. En étudiant les ressources animales du Tibet, une commission gouvernementale a découvert une race de porc à la peau mince et à la chair tendre et maigre, susceptible d'offrir de nouvelles sources de revenus aux Tibétains tout en répondant aux exigences des citadins. (14 juin)

2 On signale bon nombre de cas où des gens, surtout des personnes âgées, partagent leurs nouvelles richesses. Un contributeur modèle, vendeur de ragoût de mouton à Kaifeng, province de Henan, a donné plus de 3 000 yuan à l'assistance publique en reconnaissance de l'occasion qui lui a été donnée de développer son entreprise autonome. Il a fourni des livres et des articles de papeterie pour que les jeunes délinquants de Kaifeng affectés à une ferme de redressement par le travail puissent étudier en autodidactes; des cadeaux aux enfants de la maternelle de son village, tous les 1er juin; un orgue à la maternelle de l'usine, destiné aux enfants de la minorité nationale Hui; 300 yuan à l'administration locale d'une région inondée de la province du Suchuan en 1981; 300 yuan pour l'établissement d'une fondation pour enfants et jeunes pionniers à Kaifeng en 1982; en outre, en collaboration avec d'autres membres de sa famille, il a acheté des manteaux neufs pour tous les vieillards sans enfant de son voisinage. (13 juill.)

B.21

La danse des moissons

La danse du Lion, pour fêter le bonheur et la prospérité. (B.21)

La danse a sa raison d'être dans les villages de Chine, de nos jours, mais de multiples changements – parfois discutables – font leur apparition.

Les récoltes exceptionnelles, par exemple, créent des problèmes d'entreposage. En 1983, dans la province du Hunan, voici les choix qui s'offraient aux paysans après une telle récolte: vendre à l'État l'excédent de leur quota, à un prix inférieur; chercher des marchés dans d'autres provinces; construire des granges temporaires, ou emprunter ou louer des entrepôts; entreposer une partie du grain dans leurs maisons.

On leur conseilla également 1) de diversifier leur activité en s'adonnant à l'élevage et au traitement des grains; 2) de cultiver l'année suivante de l'orge, du maïs et des haricots en vue de limiter l'excédent. (19 oct.)

Certains paysans refusent maintenant de cultiver des céréales, se tournant parfois vers des occupations secondaires qui rapportent trois ou quatre fois plus que l'agriculture proprement dite. Dans certaines régions, cet «exode des paysans» crée une pénurie, mais dans d'autres, il constitue une forme appréciée de contrôle des excédents. Le mouvement est spécialement encouragé lorsqu'il contribue à diversifier l'économie rurale, par la fabrication de vêtements, les services commerciaux, les transports et d'autres formes d'entreprises. Par exemple, certains anciens agriculteurs qui possèdent un équipement offrent des services à de nombreux autres qui n'ont pas les moyens de s'équiper. En outre, est apparu un important groupe d'intermédiaires ruraux qui, par leur intervention, facilitent le mouvement des marchandises depuis les régions d'excédent jusqu'aux régions de pénurie, ce qui réduit les pertes en cas de récolte exceptionnelle. (5 sept.)

B.22

Alors, qu'est-ce que vous avez à m'offrir aujourd'hui en échange du carburant diesel?

par Xu Shulin, reproduit de Zhongguo Nongmin Bao

Les fermiers éprouvent également des difficultés à acheter de l'engrais et du combustible pour les véhicules à moteur, à cause d'un décalage entre la demande et la capacité de production. Parfois, on ne peut obtenir ces fournitures que par des pots-de-vin ou des formalités fastidieuses, et à des prix supérieurs à ceux que fixe l'État. (12 juill.) (B.22)

Au nombre des autres sujets de découragement pour les agriculteurs figurent les taxes élevées et les impôts accessoires comme les taxes pour la conservation de l'eau, le travail forestier et la radiodiffusion; la rémunération des chefs de brigade et d'équipe; les fonds consacrés à l'entretien des routes, à l'éducation, ainsi qu'aux réceptions et aux loisirs. (12 juill.)

B.23

Illustration de la vie villageoise à la fin de la moisson: les quotas sont atteints, les produits livrés, et les villageois partent en excursion pour faire des emplettes[1]. La journée se termine au cinéma réservé pour l'occasion. (B.23)

---

[1] Les paysans vont maintenant de plus en plus loin à l'occasion de leurs sorties spéciales. Par exemple, des paysans de Shanghai avaient coutume de faire des excursions touristiques de deux ou trois heures en train, mais ils vont maintenant jusqu'à Beijing pour «goûter au voyage dans un autobus climatisé», comme l'un d'èntre eux l'expliquait au *China Daily*. (19 juill.)

C. LA POLLUTION MORALE

L'expression « Pollution morale »[1] s'applique à une campagne menée contre l'apparition, dans la société, de certaines valeurs et transformations que la Chine voudrait corriger ou rejeter. Ces valeurs sont liées aux conséquences sociales d'un programme de modernisation couronné de succès depuis son instauration en 1978, suite au renversement de la « Bande des Quatre ».

Les scènes du dessin C.1 illustrent bien l'idéal qu'on cherche à réaliser.

Les enfants imbus du sens des responsabilités suivent un « droit » chemin. (C.1a)

Le village tout entier rivalise de déférence à l'égard du professeur dont le savoir symbolise le début d'une ère nouvelle pour la collectivité. (C.1b)

Tous ont à coeur de s'instruire pour connaître les moyens d'élever le niveau de vie de chacun, tout en assurant le progrès économique du pays. (C.1c)

Chaque réussite fait l'objet d'une publicité considérable qui stimule l'initiative et l'enthousiasme. (C.1d)

Scènes de la vie
« au village du civisme »

C.1 文明村所见 石卜

a. Les fruits au bord de la route demeurent intacts

b. Respect envers le professeur

c. La pluie ne met pas fin à la conférence sur l'agriculture

d. Les journaux parlent de notre village

[1] « Pollution morale » est également connu en francais sous l'appellation « Pollution spirituelle ».

On s'inquiète de plus en plus du matérialisme qui accompagne l'élévation actuelle du niveau de vie. (C.2)

C.2

——我是唯物主义者 *Je suis matérialiste*

C.3

半 边 灾　　翟军海

Pillage sur la place publique

Le pillage des branches d'un arbre fruitier surplombant le sentier témoigne d'un nouveau système de valeurs[1]. (C.3)

Les rapports au sein de la famille reflètent l'évolution des règles économiques et sociales.

C.4

Père riche

可怜天下父母心　　郝子云（沈阳）

Parents pauvres qui se dévouent

Les parents se privent pour que les jeunes puissent profiter de la vie moderne. (C.4)

---

[1] Par contraste avec la scène C.1a, où les fruits au bord de la route demeurent intacts.

Condamnation non équivoque des tendances matérialistes dans la société[1]. (C.5)

C.5

Les affligés

---

[1] Cette scène est d'autant plus frappante que la Chine a une longue tradition familiale marquée par des liens étroits et un profond respect pour les aînés. Cependant, l'évolution des rites funèbres fait qu'il est plus facile pour les jeunes de considérer les questions matérielles avant tout et d'attacher moins d'importance aux normes traditionnelles.

La crémation fut pratiquée durant la dynastie des Qin (221–207 av. J.-C.) et continua à l'être jusqu'au XIIIe siècle. Elle fut par la suite interdite jusqu'en 1911. De grandes terres furent donc transformées en cimetières familiaux. En 1949, la République populaire favorisa de nouveau l'incinération afin de libérer les terres pour l'agriculture et l'exploitation forestière et de rompre avec le passé. On remplaça par des rites funèbres plus simples le rituel complexe d'autrefois, au cours duquel la « famille tout entière se vêtait de grosse toile, portait les cheveux en désordre et poussait des gémissements. On retenait (également) les services de pleureuses professionnelles pour renforcer les gémissements des membres de la famille. » (30 nov.) Maintenant que les rites se « limitent à un hommage à la dépouille et à une commémoration », (30 nov.) l'impact émotif est minime et les membres de la famille s'occupent rapidement de l'héritage.

Pollution morale

Les dessins de C.6 à C.12 illustrent bien les attitudes et les pratiques sociales dénoncées par la presse chinoise[1].

C.6

Indifférence

坐视不理

妈妈抱娃娃，
乘车受体罚。
没有位子坐，
站得腿发麻。
叔叔和阿姨，
装聋又做傻。
全神望窗外，
眼睛也不眨。
妇孺买站票，
青年都坐下。
你说不象话，
他说没有啥。

C.7

Les détritus jetés dans la rue

孩子的疑问

奶油冰棍甜丝丝，
人人都爱买根吃。
叔叔剥下冰棍纸，
随手把它扔在地，
我也剥下冰棍纸，
扔进果皮箱子里。
叔叔年纪比我大，
为啥不当好孩子？
难道大人不用讲卫生，
五讲四美只是儿童的事？

La propreté est-elle l'affaire des enfants? (C.7)

Des sucettes glacées! Comme c'est gentil!
Une pour chacun de nous.
Oncle prend ton emballage
Il le jette par terre
Je prends moi aussi ton emballage
Et dois le jeter dans la boîte à ordures!

Mon oncle est un adulte.
Nul besoin de bien se tenir!
L'hygiène publique,
C'est pas l'affaire des grandes personnes!
Les cinq morales et
Les quatre beautés, c'est juste pour les enfants!

Indifférence (C.6)

Pour la mère avec son enfant
— l'autobus est un vrai supplice.
Pas de place assise . . . Les jambes engourdies.
Les oncles et les tantes[2]
font la sourde oreille et feignent l'ignorance.
Ils regardent par la fenêtre
sans sourciller.

Les enfants et les femmes paient pour demeurer debout
Les jeunes pour s'asseoir.
« Scandaleux », à mon avis.
« Ça ne fait rien! », dit-il.

---

[1] Le président du Congrès national du peuple déclarait: « L'ordre social va bientôt prévaloir comme à la fin des années 50 et au début des années 60. » Des sanctions sévères seront infligées aux « chefs de gangs et voyous qui se servent d'armes meurtrières; à ceux qui blessent ou assassinent un fonctionnaire de l'État ou un citoyen qui dénonce, démasque ou arrête un délinquant: aux chefs de gangs qui s'adonnent à la traite des personnes; à ceux qui fabriquent, vendent ou volent des armes ou des explosifs . . .; aux organisateurs de sociétés secrètes à caractère réactionnaire ou superstitieux qui s'adonnent à des activités contre-révolutionnaires; et à ceux qui incitent ou obligent une femme à se prostituer. » (3 sept.)

[2] Pour marquer respect et affection, les enfants désignent les amis de la famille par les termes « oncle » et « tante ».

Héros de la rue (C.8)

Tamponnement de deux bicyclettes
  Dans un passage étroit
Pas question de s'excuser
Les injures fusent
  Le visage s'empourpre, le cou s'enfle
  La langue se délie, la gorge se tend brusquement!
Tu le traites d'imbécile
Il te traite de salaud
Le ton monte
Chacun s'enhardit
Drôles de héros de la rue!

C.8

Héros de rue

马 路 英 雄

狭路巧相逢，	你骂他混蛋，
两车迎面碰。	他骂你孬种。
彼此不相让，	越吵越起劲，
对骂一大通。	咆哮显威风。
脸红脖子粗，	好一对马路上的英
嘴尖嗓门冲。	雄!

C.9

Présence non autorisée

瞧 这 一 家 子

"禁止践踏草地"，	哥哥踩脚丫子，
分明竖着牌子。	弟弟练腿腕子。
有人根本不理，	乱跑、乱滚、乱踢，
瞧瞧这一家子。	实在不成样子。
爸爸睡草褥子，	莫非不识汉字，
妈妈坐草垫子，	全是睁眼瞎子?

Présence non autorisée (C.9)

La pancarte précise bien
« Défense de marcher sur le gazon »
Certains ne font jamais attention
Regardez cette famille –
  Le père est étendu sur le gazon;
  La mère est assise sur le gazon;
  Le grand frère clopine;
  Le plus jeune fait de l'exercice.
Il court, roule et lance des coups –
  C'en est trop.
Sont-ils tous illettrés
  Ou sont-ils tous des aveugles aux yeux grands ouverts?

Gaspillage de l'eau (C.10)

J'ouvre le robinet et je me mets à causer
Du ciel et de la terre, du nord et du sud
Je cause et l'eau déborde.

« Fini ce papotage? » demande la terre.
On mange, on boit, on s'amuse.
Vraiment! Il n'est pas grave de gaspiller 1 000 tonnes d'eau lorsque des amis se rencontrent.

Pas plus que
10 000 mots
qui ne suffisent pas.

Quel gaspillage!
Il s'agit d'un bien public . . .
Cela ne nous concerne pas.

C.10

Gaspillage de l'eau

水逢知己千吨少

一边拧开水龙头，
一边打开话匣子，
从天南扯到地北，
水哗啦哗啦地流着，
话没完没了地直说。

从吃喝聊到玩乐，
真是水逢知己千吨少，
话语投机万句不嫌多。
浪费的是公家的水，
哥儿们管它干什么！

C.11

敢登攀

古塔修缮，
谢绝参观，
请君止步，
设置栏杆。
男女勇士，
一身是胆，
不顾禁例，
不畏艰难，
争先恐后，
勇敢登攀，
行动自由，
肆无忌惮。
此等游客，
实在可叹。

Escalade d'une pagode délabrée

Escalade d'une pagode délabrée (C.11)

« Pagode en réparation »
« Défense d'entrer »
« Ralentir – pas de clôture »
Ah ! ces hommes et ces femmes pleins de cran
qui ne respectent pas les règlements.
Qui ne craignent pas le danger
osent monter.

« Je ferai bien ce que je veux
Je m'en fiche ! »

Ces touristes! Quel dommage!

Cueillette de fleurs (C.12)

Printemps aux multiples couleurs
Jardins où se promènent les amoureux
Cueillez les fleurs
Pendant qu'elles sont là
N'attendez pas qu'elles se fanent
    et qu'il n'y ait plus que des branches nues
Au diable l'intérêt public
Au diable les règlements
N'ayez pas crainte de la loi
Je me moque
Des cinq morales et des quatre beautés
Oubliez Lui-Fung[1]
    Suivez Latz[2].

C.12

Cueillette de fleurs

攀　枝　花

万紫千红赏春时，　不管公德与法纪，
结伴游园乐滋滋。　不怕批评吃官司。
有花堪折直须折，　五讲四美抛脑后，
莫待无花空折枝。　不学雷锋学拉兹。●

●拉兹是印度影片《流浪者》的主人翁。

---

[1] Lui-Fung, soldat de l'Armée rouge promu citoyen modèle dans les années 1960.

[2] Latz désigne peut-être le vagabond et voleur dans le film indien *Le Vagabond*, populaire en Chine dans les années 1950, à l'époque où l'Inde et la Chine entretenaient des relations étroites.

Un autre coup d'oeil de la presse sur « dix attitudes sociales répréhensibles»[1] présentées dans le style de l'opéra classique. (C.13–C.22)

---

[1] Le *China Daily* écrit: «Depuis quelque temps, il a été beaucoup question de contamination culturelle et morale. Ainsi que le réclame la presse, ce fléau doit être éliminé.» (22 oct.)

C.23

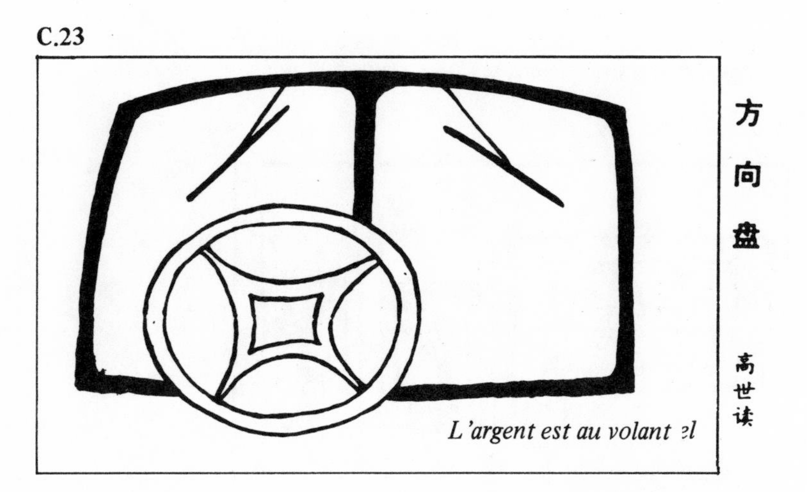

C.24

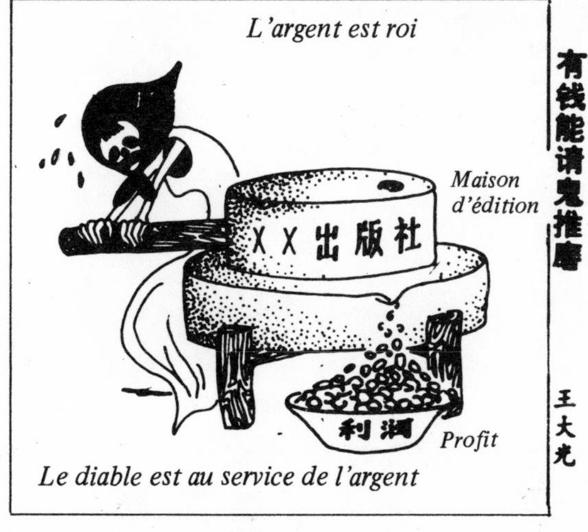

La force motrice de l'argent.
(C.23, C.24)[1]

[1] On attribue en partie cet intérêt pour l'argent aux influences étrangères. Lors du lancement de la campagne des Quatre Modernisations et de l'ouverture des portes de la Chine au tourisme en 1978, les dirigeants chinois sous-estimèrent l'incidence de ces politiques sur les valeurs sociales et culturelles. Selon Deng Liquin, membre du secrétariat du Comité central du Parti communiste chinois et chef du Service de la propagande du Parti, « la Chine pratique depuis quelques années une politique d'ouverture au monde extérieur. Cette politique a permis d'obtenir des succès remarquables, mais elle a aussi engendré des problèmes nouveaux. » (*Beijing Review*, 7 nov. 1983, pp. 13–14)

« Ceux qui sont mus par la seule recherche du gain commercialisent l'esprit du socialisme en le mettant au service des intérêts égoïstes de quelques personnes et de quelques petits groupes. Cette forme de contamination doit disparaître », écrit le *China Daily*. (22 oct.)

C.25

摇 钱 树　　景和、景国

Variantes de l'arbre aux écus

Cette recherche effrénée du gain atteint tous les secteurs de la population. On sacrifie la probité et la haute qualité. Cette cupidité trouve son écho chez les artistes qui ne prennent plus le temps de créer et qui se contentent de produire en série des variantes de tout thème qui se vend bien. (C.25)

C.26

On se bonifie avec l'âge

韩冬

Même les vieilles gens sont forcées de succomber à cette tentation inéluctable du gain. (C.26)

C.27

Diseur de bonne aventure

Les « superstitions féodales », qui « font leur réapparition dans les campagnes et même dans certaines villes », constituent un autre fléau qu'on se doit d'enrayer. Sorciers, sorcières, diseurs de bonne aventure et géomanciens, tous se remettent à l'oeuvre. » (22 oct.) (C.27)

Il est des moments où les gestes répréhensibles vont jusqu'à prendre la forme subtile d'une complicité par l'inaction. « Toute contamination quelle qu'elle soit, déguisée ou manifeste, témoigne essentiellement de l'idéologie d'une classe exploitante et va directement à l'encontre de l'idéologie de notre système social. » (22 oct.)

Divers traits indésirables. (C.28)

C.28

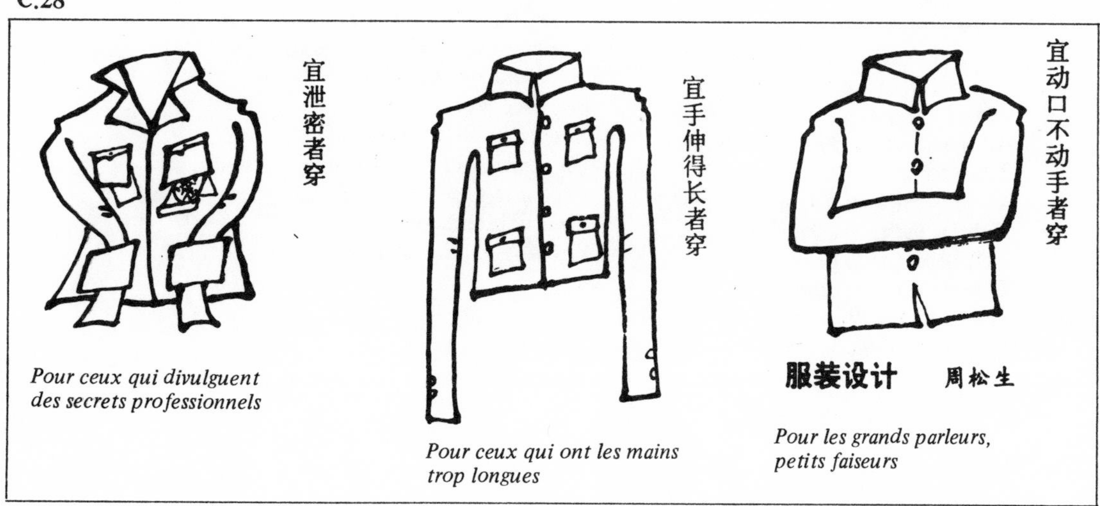

Pour ceux qui divulguent des secrets professionnels

Pour ceux qui ont les mains trop longues

Pour les grands parleurs, petits faiseurs

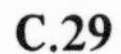

C.29

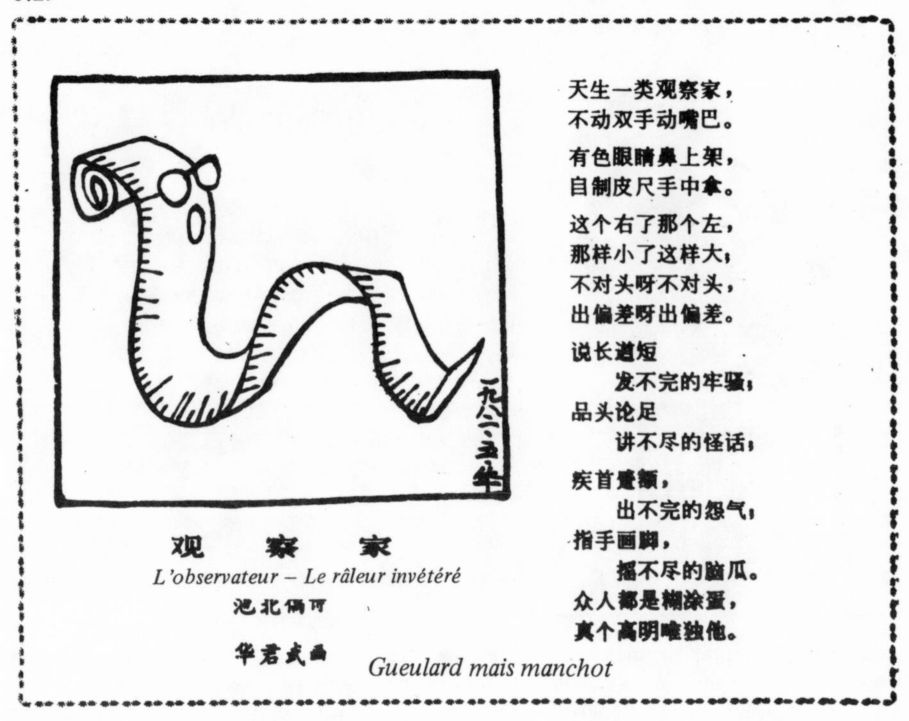

L'observateur – Le râleur invétéré

Gueulard mais manchot

Le râleur invétéré[1] (C.29)

Il fait penser
À certains observateurs
Qui portent des verres colorés
Qui ne remuent jamais les mains
  Mais qui remuent toujours les lèvres
Chacun ayant une règle pour mesurer
  Les autres –
  Celui-ci est trop à droite
  Celui-là est trop à gauche
  Celui-ci est trop petit
  Celui-là est trop grand
  Inadmissible ! Vous avez
    commis des erreurs.
      made mistakes.

Il critique tout;
  se plaint de tout.
Il fait des remarques sur tout;
  débite constamment des absurdités.
Il fronce les sourcils;
  est rempli d'amertume.
Un signe de la main à droite;
  la tête toujours haute
Tout le monde est idiot
Lui seul est bien avisé.

---

1 Adaptation de la traduction de Li Shengheng du chinois.

Le premier ministre chinois Deng Xiaoping définit « ces manifestations d'un sens peu développé des droits et obligations du citoyen » comme une carence grave dans les rapports sociaux[1].

Insensibilité à l'égard des autres. (C.30, C.31)

C.30 *Camaraderie*

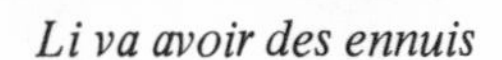

Li va avoir des ennuis

C.31

好高骛远——啥了不起！有这种机会我也会这样做

La théorie par rapport à la pratique 王益生

---

1 *Beijing Review*, 10 oct. 1983.

La flânerie constitue une pratique sociale répréhensible[1]. (C.32)

C.32

Gens qui font la sieste un peu partout

[1] Le taux élevé de chômage qui sévit actuellement en Chine favorise cette forme déclarée de non-participation. Voir la section D. Le monde du travail.

Les comportements individualistes, comme ceux qui sont illustrés plus bas, figurent parmi les pratiques que le gouvernement essaie de corriger par l'éducation, la critique et l'autocritique.

Comment attirer l'attention aux dépens de l'orchestre. (C.33)

C.33

二主角——看音乐会演出有感　　潘 海

Impressions du concert. Un soliste de trop

Poisson non emballé dans l'autobus. (C.34)

C.34

——谁说车上挤？我这儿多宽绰　　胡凤兰

Qui a dit qu'il n'y avait plus de place? Moi!

Monter sur les sièges avec des chaussures sales pour prendre ses bagages dans le filet. (C.35)

C.35

最后的留念　　张宝生

Le dernier souvenir

En août 1980, Deng Xiaoping[1] déclarait: « Au besoin, tous les éléments progressistes animés d'une conscience révolutionnaire devraient sacrifier leurs intérêts personnels à ceux de l'État, de la collectivité et du peuple, et nous devrions mieux diffuser cette noble idée dans la population, en particulier chez les jeunes[2] ».

C.36

某大学学生食堂观感 *Cantine des étudiants* 石松涛

Les jeunes sont invités à dire non au chaos social qu'engendre l'égoïsme et à se comporter en citoyens exemplaires. (C.36)

C.37

Mao Zedong concevait également l'avenir de la Chine en fonction des jeunes. Exhortant la jeunesse chinoise, il déclara: « L'avenir vous appartient, l'avenir de la Chine est entre vos mains.» Pour qu'une influence bénéfique s'exerce sur la jeunesse, encore faut-il que les adultes agissent conformément aux buts collectifs qu'ils exposent.

Exemple de contradiction entre les actes et les buts collectifs[3]. (C.37)

---

1 Président de la Commission consultative centrale du Parti.

2 *Beijing Review*, 10 oct. 1983.

3 La vendeuse s'intéresse au poisson et non au client. Son insincérité est mise en évidence par le fait qu'elle pose le slogan à l'envers.

C.38

Autre exemple de comportement contradictoire, qui souligne le hiatus entre la vision ou « compréhension » et la pratique. (C.38)

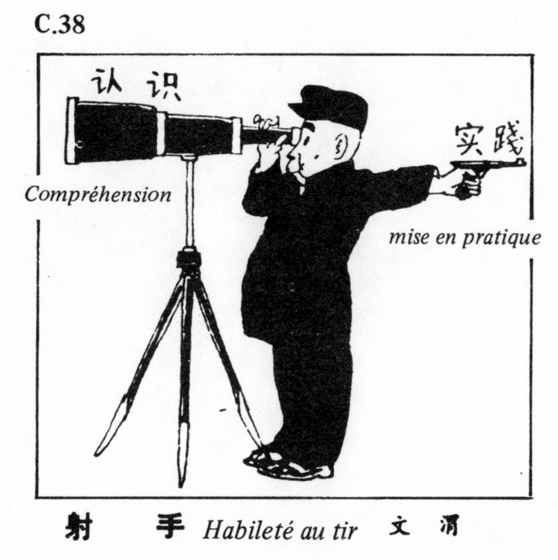

射 手 *Habileté au tir* 文 渭

Le moi outrancier doit être subordonné afin qu'il y ait vraiment entente, amitié et communication entre les gens.

C.39

Autrement, on vit dans une société où les gens vont au devant de l'affrontement et où il y a peu d'harmonie. (C.39)

想到一块儿了 林 木

Chacun fait à sa tête

L'affluence dans les transports en commun[1] constitue un sujet tout indiqué pour faire ressortir la nécessité de rapports empreints d'une courtoise mutuelle. (C.40)

C.40

一触即发 王复羊

Explosif en tout temps

[1] Une veuve à Beijing qui avait opté pour une retraite anticipée en 1983 mentionna, entre autres explications, «le désir de ne plus avoir à voyager serrée comme des sardines en boîte.» «Pendant des années, expliqua-t-elle, j'ai dû prendre des autobus qui étaient parfois tellement bondés que je pouvais à peine respirer. Enfin, je n'ai plus à prendre l'autobus!» (19 oct.)

Au cours d'une semaine de travail moyenne, la Commission des transports en commun de Beijing transporte 7,6 millions de passagers par jour, soit 13 p. 100 de plus qu'en 1965. Durant cette même période, le parc d'autobus, qui était déjà insuffisant, n'a augmenté que de 7,1 p. 100. Chaque matin, 3 000 autobus et 1 800 tramways «circulent péniblement dans un océan de (3,7 millions de) bicyclettes le long de 137 parcours.» Cette lenteur ajoute à l'inconfort dû à l'encombrement et met les nerfs à vif. On estime que chaque bicyclette prend l'espace de six passagers d'autobus, mais il n'est toujours pas question d'en décourager l'usage. Les responsables des transports essaient plutôt de venir à bout du problème de circulation en introduisant de nouveaux parcours, en élargissant certaines artères et en encourageant l'échelonnement des heures de travail dans certaines usines. On songe à prolonger le métro lorsqu'on en aura les moyens financiers. Entre temps, on compte sur la courtoisie et le respect mutuel. (19 oct.)

Impolitesse et dureté d'une serveuse au « coeur glacial ». (C.41)

C.41

Théière de jade avec coeur de glace

Cette attitude sert à éclairer un incident qui se produisit dans le plus grand magasin à rayons de Guangzhou et qui « scandalisa la population de tout le pays », il y a quelques années.

Une princesse iranienne en visite en Chine alla de Beijing à Guangzhou pour faire des courses dans le grand magasin de la ville. Elle souhaitait se procurer des peignes de santal d'un genre particulier et demanda, par le biais d'un interprète, à voir les différents peignes qu'il y avait. Elle en regarda un, puis demanda à en voir un deuxième. Mais la jeune vendeuse lui répondit: « Ils sont tous pareils! »

Acceptant finalement de sortir d'autres peignes, elle les jeta sur le comptoir avec fracas. La princesse se sentit injuriée et se mit à pleurer. Cet incident consterna le premier ministre Zhou Enlai, qui donna des directives à tous les hôtels, restaurants et magasins pour qu'ils offrent un meilleur service.

Depuis l'instauration du Mouvement de Responsabilité en 1978, la direction du magasin donne une formation idéologique et technique aux employés. Cette formation, ainsi qu'un système de primes géré avec succès, fait que le personnel aujourd'hui « fait preuve de bonnes manières et d'efficacité. » Il est très « agréable » d'y faire des courses lorsqu'une vendeuse souriante demande « Puis-je vous être utile? » ou dit à une cliente qui ne trouve pas un pantalon d'une couleur précise: « Si nous avons l'article en stock, je vous le garderai. Revenez dans quelques jours. » (17 nov.)

Les entreprises sont encouragées à suivre le modèle de Guangzhou de manière à ce qu'il y ait un peu partout un service courtois.

On mettait sur pied en 1982 un comité national pour le progrès des vertus civiques, comité dont les « activités ont pour but de favoriser:

– les cinq qualités traditionnelles: bienséance, courtoisie, hygiène publique, discipline et moralité;
– les quatre beautés: beauté de l'esprit, du langage, du comportement et de l'environnement;
– les trois amours: amour de la patrie, du socialisme et du Parti. »

Durant les mois des valeurs morales, on s'applique à améliorer toutes les qualités de cet ordre. En février et en mars 1983, mois des valeurs morales, des progrès ont été constatés en ce qui concerne « l'amélioration des services et l'attitude qu'il faut pour « servir les gens et se sentir responsable d'eux »[1]. »

C.42

Dans l'esprit du mois « des valeurs morales ». (C.42)

---

[1] *China Youth*, mai 1983.

Par le passé, les comités de quartier ont joué un rôle important en tant que ciments de la communauté; toutefois, ils perdent peu à peu de leur importance[1] avec l'élévation du niveau de vie. Ce déclin se traduit, entre autres, par une détérioration des rapports entre voisins. (C.43)

C.43 *Les voisins*

À la limite de mon terrain

---

[1] Tout à fait particuliers à la Chine, les comités de quartier virent le jour dans les milieux urbains en 1954 à titre d'organismes bénévoles «visant à aider à maintenir l'ordre, à obtenir les règlements des conflits par médiation et à aider les personnes sans ressource.» (15 nov.)

Ces comités ont déjà été très efficaces en tant que sections locales de surveillance, mais à présent, «l'embarras du comité de quartier qui essaie d'offrir de plus en plus de services avec un personnel décroissant inquiète les dirigeants du Parti et de l'État . . . Peng Zhen, président du Congrès national du peuple, a invité la société tout entière à coopérer avec les comités de quartier.» (15 nov.)

Une fois revitalisés, ils contribueraient à réduire les méfaits de la «pollution morale».

Jusqu'au début des années 70, il était facile pour plusieurs raisons d'assurer la propreté des milieux ruraux et urbains. Les personnes âgées ou affligées d'un handicap devaient comme tout le monde participer à une activité communautaire quelconque. En l'occurrence, il pouvait s'agir de veiller à la propreté de certains terrains. En outre, les surplus étant rares, on pouvait moins se permettre de jeter des choses aux ordures. Du reste, on recyclait systématiquement toutes les ordures. Les pressions sociales jouaient également un rôle important. Ces conditions n'ont plus cours aujourd'hui. La censure collective est plus relâchée et l'abondance relative produit un surplus de déchets.

La décharge des ordures ménagères un peu partout constitue un autre problème qu'un comité de quartier revitalisé aiderait à corriger[1]. (C.44)

C.44

愚公也犯愁 王树忱

Le désespoir de M. Ramasse-Tout

---

[1] Conservant le souvenir du problème posé autrefois par l'élimination des ordures, les Chinois redoutent la moindre accumulation de déchets. Jusqu'à la fin de la dynastie des Qing, c'est-à-dire en 1911, les rues des villes surplombaient les maisons en raison de l'amoncellement des déchets. Par exemple, à Beijing, «les gens pénétraient dans leur demeure comme s'ils descendaient une vallée.» Puis, jusqu'en 1949, des dépotoirs furent créés le long des remparts de la ville. Toutefois, ceux qui étaient incapables de payer pour faire enlever leurs ordures se contentaient de les jeter dans la rue. Aux dépotoirs, les monceaux de détritus finirent par dépasser la hauteur des remparts de la ville. (28 nov.)

Entre 1949 et 1960, on résolut le problème en aménageant des fosses à une quinzaine de kilomètres du centre-ville de Beijing, ces fosses s'ajoutant aux dépôts à compost des équipes de production. La plupart de ces fosses sont à présent comblées ou servent à la pisciculture. Par ailleurs, les équipes de production se sont aperçues que les substances organiques représentaient seulement 35 p. 100 des déchets, le reste se composant de cendres de cuisinières, de poussière ou de terre, et refusent donc les déchets non triés. (28 nov.)

«Chaque jour, des tonnes de déchets sont déchargées dans les fossés qui bordent les routes.» On estime que Shanghai produit 4 000 tonnes d'ordures ménagères chaque jour. (27 juin) En 1982, Beijing en produisit 1,94 million de tonnes. Ne sachant trop quoi faire avec les ordures, certains chauffeurs déchargent leur camion sur des terrains vagues sans obtenir l'autorisation des équipes de production. Une équipe qui accepte de prendre 10 charges de camion en aura en fait 10 ou 20 de plus. Le gouvernement sévit en imposant des amendes aux chauffeurs, car les villageois élèvent constamment des protestations en disant: «Vous, les gens de la ville, réglez vos problèmes d'hygiène publique à nos dépens. Vous déposez vos ordures près de notre village, où elles dégagent des odeurs nauséabondes et attirent les mouches et les moustiques.» (28 nov.)

Bien que la flatterie constitue un phénomène universel, elle est pratiquée à des degrés divers dans les différentes cultures. En Chine, elle constitue une coutume bien implantée, renforcée historiquement par une forte hiérarchisation des rapports sociaux. Un rédacteur du *China Daily* (22 oct.) éclaircit ce point dans un article intitulé: « La flatterie peut cacher une intention délictueuse.» Précisant qu'il avait vu quelque temps auparavant, dans un autre journal, la caricature d'un homme coupant un arbre tordu, le journaliste poursuit en expliquant ce qui suit:

> L'arbre tordu fut choisi parce qu'il pouvait servir de soutien. Dans la réalité, certains cadres préfèrent les hommes tordus parce que les gens de cette sorte sont versés dans la flatterie et la flagornerie. Mais «l'hypocrisie cache souvent une intention délictueuse.»
>
> L'histoire rapporte également qu'il y avait, à l'époque des Royaumes combattants (475–221 av. J.-C.), un roi appelé Qi Xuan Wang qui aimait beaucoup le tir à l'arc. Son arc n'était pas trop difficile à tendre, mais tous ses subordonnés feignaient d'être trop faibles pour s'en servir. Jusqu'au jour de sa mort, le roi crut que ses bras étaient plus forts que ceux de tous les autres hommes.
>
> Certains de nos camarades sont dupes, à l'instar de ce roi qui vécut il y a plus de 2 000 ans. Ils sont dévorés par la flatterie et jugent leurs subordonnés d'après leur servilité.
>
> Si certaines personnes aiment les arbres tordus, c'est parce qu'elles ne sont pas elles-mêmes honnêtes. Elles ne peuvent côtoyer les «arbres droits et grands», qu'elles ne sauraient considérer comme des camarades. Les personnes talentueuses ont souvent confiance en elles-mêmes. Elles encouragent la vérité et combattent les doctrines fausses. C'est pourquoi on les accuse de «se donner de grands airs» ou d'être «indisciplinées». C'est ainsi que les arbres tordus deviennent des cannes.

L'arbre tordu et la flatterie sont souvent associés dans la littérature chinoise[1]. (C.45)

C.45

选 才 *Je prends ce qui me convient* 李明玉

[1] Ce dessin illustre également l'exploitation égoïste et la destruction gratuite des arbres, problème que le gouvernement essaie de corriger par une campagne de plantation d'arbres.

Il y a eu récemment en Chine plusieurs films portant sur les cadres à la retraite. On a constaté que dans chacun d'eux, il y avait un chef de section administrative qui « flagornait de façon éhontée le cadre qui se trouvait à son poste.» D'après le rédacteur du *China Daily*, cette situation s'apparente à l'histoire de Su Quin, qui se passait à l'époque des Royaumes combattants (472–221 av. J.-C.). Lorsqu'il rentrait chez lui, bredouille et découragé, «sa femme ne quittait pas le métier à tisser, sa belle-soeur ne lui préparait pas à manger et ses parents ne lui adressaient pas la parole.» (23 oct.)

Toutefois, lorsque Su devint plus tard un important ministre, sa belle-soeur « fit mille courbettes et prosternations devant lui.» Lorsque Su lui demanda la raison de son brusque retournement, elle lui répondit: « C'est parce que tu occupes maintenant une haute fonction et que tu as beaucoup d'or.»

Dans la Chine ancienne, la flagornerie constituait une pratique généralisée, voire obligatoire. Elle tend à réapparaître de façon inquiétante aujourd'hui. (C.46)

C.46

新"南郭先生"　　康 非

«M. Nankuo» aujourd'hui (célèbre joueur de violon)

La flatterie gagne toutes les couches de la société. Même le «porc-moine», qui représente la fidélité et la droiture dans le *Voyage en Occident*[1], oeuvre classique chinoise, agit de la même façon que la belle-soeur de Su: méprisant ses subalternes, mais tremblant de peur et de respect face à ses supérieurs. (C.47)

C.47

——滚……原来是师父！　　王 炬

Sortez ! Ah ! c'est vous, cher maître !

---

1 *Xiyouji*, roman chinois du XVIe siècle.

L'un des objectifs de la campagne menée contre la «Pollution morale» est d'affaiblir les éléments criminels de la société.

Les criminels sont semblables aux insectes qu'on doit détruire par l'épandage d'insecticides. (C.48)

C.48

Épandage d'insecticides

(Insectes: éléments criminels)

Une bonne partie de la criminalité est reliée aux aspirations irréalisées de certaines personnes dont le désir latent d'acquérir des biens matériels a été éveillé en voyant d'autres personnes arriver à la richesse[1]. Des gangs se sont également formés parmi ceux qui, comme les jeunes, furent déracinés au cours de la Révolution culturelle et qui se retrouvent aujourd'hui déplacés, désillusionnés et pleins de ressentiment. Il faut ajouter à ces derniers les chômeurs, qui représentent 23 p. 100 des criminels en 1982[2].

Le gouvernement fait une distinction entre les criminels qui peuvent être réhabilités par la rééducation et les «criminels endurcis» – «meurtriers, bandits, violeurs, escrocs et autres délinquants[3]». Les criminels endurcis sont passibles de châtiments sévères. «Cela est essentiel si l'on veut maintenir l'ordre social et protéger la vie et la propriété des citoyens[4].»

---

[1] Les crimes économiques sont très répandus. Par exemple, 1,3 million de cas d'affairisme ont été mis au jour en 1982. Parmi les 76 200 auteurs de crimes graves, 13,3 p. 100 étaient des ouvriers, des cadres et des fonctionnaires. Le marché noir des appareils de télévision, des magnétophones et des ordinateurs et le trafic des devises étrangères constituaient la majeure partie des délits. (29 juin)

[2] *Beijing Review*, 12 septembre 1983.

[3] *Ibid.*

[4] *Ibid.*

Dans le cadre de la lutte menée contre le crime, on fait campagne contre les personnes « qui sont indifférentes aux incidents fâcheux et crimes dont elles sont souvent témoins. » (22 oct.) Tous les citoyens sont tenus de collaborer en signalant les attitudes asociales et les crimes contre l'État. On se sert à cette fin de la légende de Wu Song.

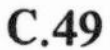

C.49

Wu Song triomphant d'un tigre

Wu Song avait la force qu'il fallait pour triompher d'un tigre[1]. (C.49)

C.50

Négligence de Wu Song

Toutefois, il fut battu par un tigre formé par quelques mouches qui lui étaient apparues au début comme insignifiantes. (C.50)

En fait, on impute la forte criminalité[2] qui sévit en Chine au fait qu'on a souvent fermé les yeux sur les premiers méfaits commis et qu'on les a laissé s'accumuler. Dans d'autres cas, « certains intervenants dans les domaines de la sécurité publique et de l'organisation judiciaire ont surestimé l'influence bénéfique de l'éducation et ont fait preuve de clémence dans des cas où des châtiments sévères s'imposaient. Il s'en est suivi que certains criminels endurcis, qui auraient dû recevoir une bonne leçon, ont continué à commettre des forfaits, au grand désarroi de leur entourage. » (12 sept.)

---

[1] Gravure sur bois tirée de la *Beijing Review*, 3 oct. 1983.

[2] Le taux de criminalité est de 7 à 9 pour 10 000 habitants, ce qui constitue peut-être le taux le plus bas du monde, mais est encore considéré comme trop élevé pour la Chine. (1er sept.)

La dégradation du patrimoine et des monuments constitue l'un des comportements asociaux qu'on essaie de redresser[1]. À moins qu'on ne traite les monuments avec soin, ceux-ci finiront par tomber en ruine.

C.51

Manque de respect à l'égard des monuments. (C.51)

如此"保护" *Conservation des objets d'art*

有些文管所的摄影部，竟以文物当布景和道具以招徕顾客 *(les objets d'art dont on se sert pour attirer les touristes)*

C.52

凤 戏 龙 *Le Phénix attaque les dragons* **李时民**

On voit dans le comportement de certaines personnes à cet égard une inversion des rôles du phénix et du dragon[2]. (C.52)

---

[1] Cette politique fait contraste avec celle qui avait cours durant la Révolution culturelle, et en vertu de laquelle on détruisit gratuitement de nombreux monuments historiques afin de dénigrer le passé. On considérait que ces monuments rappelaient les travaux imposés à la classe ouvrière et les nombreuses vies sacrifiées à leur construction. Aujourd'hui, on voit dans ces monuments historiques des témoignages du savoir-faire et de la force du peuple chinois.

[2] Dans le folkore chinois, le dragon chasse le phénix. Ici, au contraire, c'est le phénix (la jeune femme) qui détruit les puissants dragons (le monument) en les touchant.

Pollution morale / Alcoolisme

L'alcoolisme est un vice social qu'il faut enrayer[1].

Les «chrysanthèmes enivrés» sont inoffensifs. (C.53) Par contre, l'ivrogne peut constituer un danger public à cause de l'esprit de vengeance qui l'habite. (C.54)

L'effet de dépendance de l'alcool. (C.55)

C.53 幽默漫画

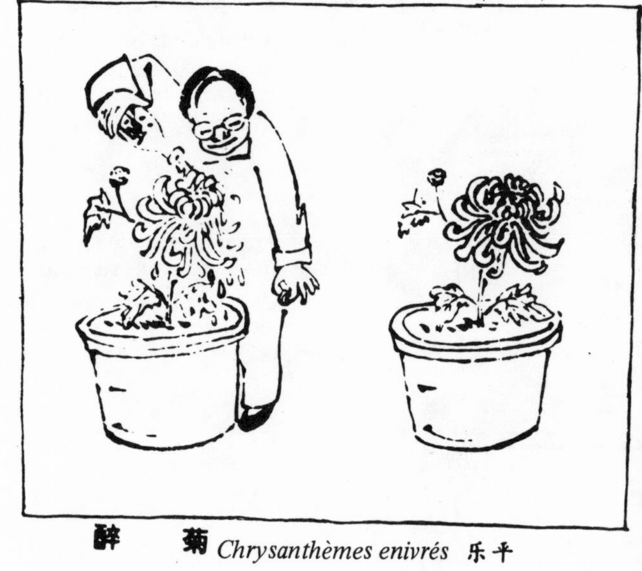

醉菊 *Chrysanthèmes enivrés* 乐平

C.54

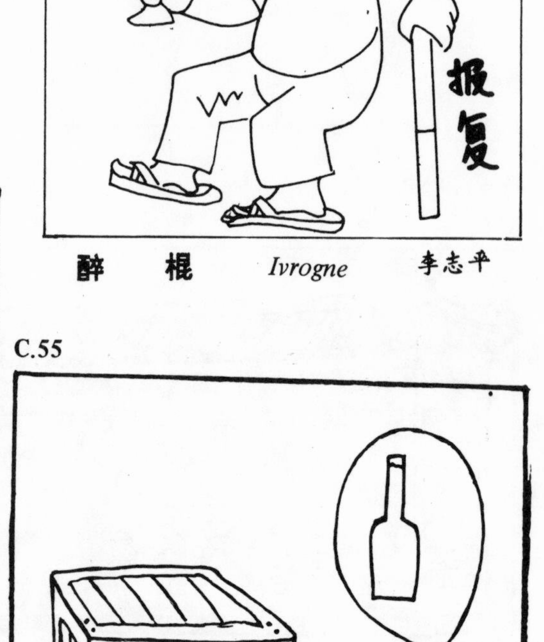

醉棍 *Ivrogne* 李志平

C.55

条件反射 *Réflexe conditionné*

[1] Les Chinois disent avec fierté que certaines communes servent du vin plutôt que de l'eau pour marquer l'élévation de leur niveau de vie. Ils s'opposent pourtant à la consommation excessive d'alcool, non pas à cause de leurs convictions religieuses ni en vertu de leurs principes moraux, mais plutôt parce qu'ils craignent ses conséquences funestes.

——你怎么这样进来？
——我已向爱人发誓从今天起
决不跨进酒店一步！ 蒋思志

C.56

Pour un mari qui s'adonne à la boisson, une manière ingénieuse de tenir la promesse faite à sa femme! (C.56)

Alors que se poursuit la campagne menée contre les maux sociaux, le gouvernement craint sérieusement que ce mouvement ne soit perçu comme l'amorce d'un retour aux jours de la Révolution culturelle.

«Les mesures énergiques prises actuellement en Chine contre les activités criminelles graves amènent certaines personnes dans le monde à se demander si ces mesures ne vont pas dégénérer en campagne politique. Mais elles font partie en fait de la tâche ordinaire du gouvernement de la République populaire[1].» «. . . Nous ne ferons pas aux autres ce que les autres nous ont fait» durant la Révolution culturelle[2].

---

[1] *Beijing Review*, 12 septembre 1983.

[2] *Ibid.*, 7 novembre 1983.

D. LE MONDE DU TRAVAIL

Chômage élevé. (D.1)

D.1 *Trop de fleurs – pas de graines*

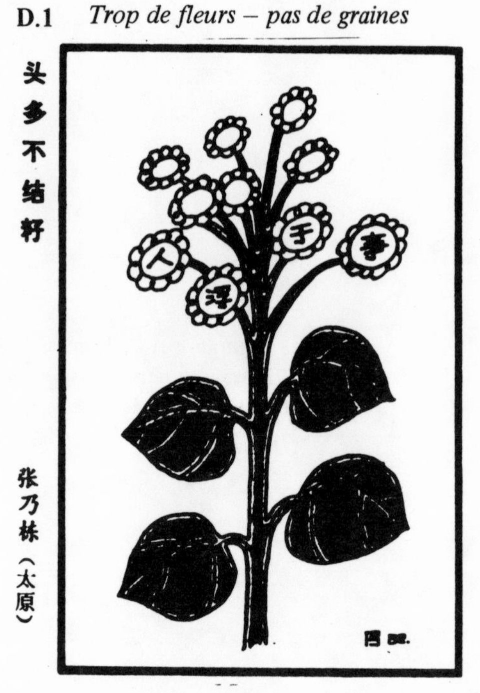

Les emplois sont rares

Bien que les experts ne s'entendent pas dans leurs évaluations du chômage, il est certain que, au cours de l'actuelle campagne de modernisation, il a atteint en Chine des proportions inquiétantes[1].

À l'heure actuelle, le gouvernement considère qu'il est maître de la situation dans seulement le huitième de toutes les villes du pays[2].

On estime qu'il faudra de 500 à 600 millions d'emplois d'ici vingt ans pour les jeunes qui entreront sur le marché du travail au rythme de 20 à 30 millions par année. (10 oct.)

---

[1] De 1949 à 1960, le chômage a été très faible, voire inexistant, parce qu'on avait recours à des méthodes de production qui employaient une main-d'oeuvre nombreuse, conformément à la politique d'autosuffisance nationale et afin de faire participer la population dans son ensemble à l'effort d'édification de l'économie, comme le souhaitait le gouvernement. Tous les travailleurs se virent offrir un emploi à vie en 1957 en vertu de la politique du Bol de riz en fer. En 1958, le programme du Grand Bond en avant, qui tendait à accélérer le développement économique, introduisit un système d'emplois contractuels temporaires. Cependant, le programme ne fit pas long feu; en 1960 20 millions de travailleurs furent mis à pied. C'est à cette époque que le problème du chômage commença à se poser.

En 1966, sous la Révolution culturelle, tous les emplois temporaires devinrent permanents. Les travailleurs mis à pied en 1960, qui avaient été envoyés à la campagne, revinrent à la ville. En tout, ils furent 13 millions à affluer vers les villes, mais le marché du travail ne pouvait pas les absorber. Entre 1977 et 1981, 37 millions d'emplois furent créés, sans que cela suffise pour régler le problème. (19 nov.)

[2] Soit 30 villes. (*Beijing Review*, 19 sept. 1983)

À la suite d'une réorientation politique qui s'opéra entre 1977 et 1978, le gouvernement prit le parti de l'efficacité lorsqu'il eut à choisir entre la lutte contre le chômage (ou le sous-emploi) et l'augmentation de l'efficacité. La rationalisation des priorités et des ressources de production de l'État entraîna des réductions de l'activité économique et la fermeture de certaines entreprises. (10 nov.)

Sous-emploi dû aux réductions de l'activité des entreprises[1]. (D.2, D.3)

D.2

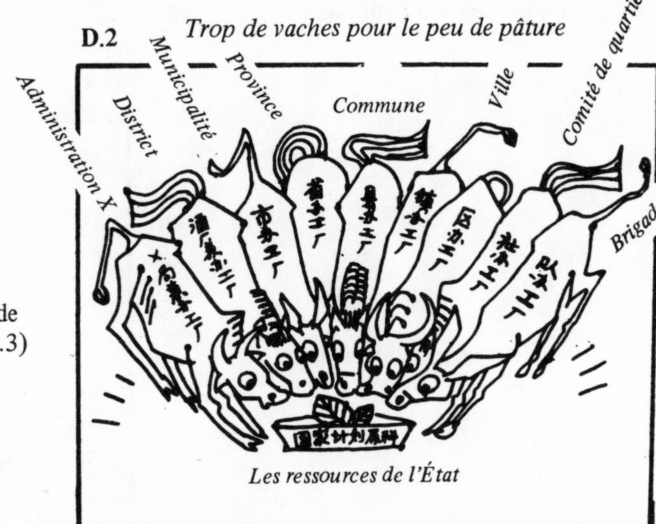

牛多草少几几饥　方向众

(Vaches: usines de divers niveaux)

D.3

好事多磨

Trop enthousiastes

Certains comités locaux luttent pour obtenir du travail

---

1 C'est le cas notamment d'une usine de Guangdong qui emploie 2 000 personnes, mais n'a aucun quota de production « depuis longtemps ». (10 nov.)

Le système d'emploi contractuel[1] est réinstitué par étapes. On s'attend à ce qu'il réduise le sous-emploi en accordant aux entreprises d'État une plus grande latitude dans leur politique d'emploi, ainsi que le pouvoir de déterminer les conditions de travail. Les travailleurs seront embauchés et congédiés selon leurs compétences et selon les besoins de l'entreprise.

D.4 众推磨 *Tout le monde pousse!*

Employés en surnombre. (D.4, D.5)

D.5

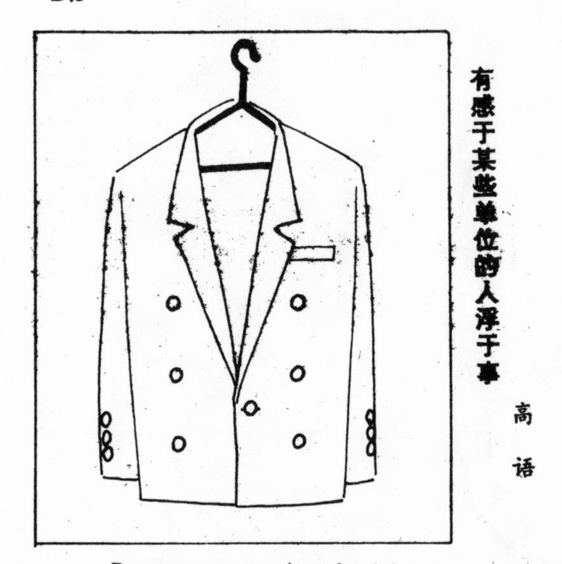

Boutons en trop (employés)

---

[1] Le système était resté en suspens depuis la Révolution culturelle, mais une nouvelle formule accorde aux travailleurs temporaires les mêmes avantages qu'aux permanents, ce qui répond à l'une des critiques formulées par le passé. (9 nov.)

Une expérience tentée à Anyang, en vertu de laquelle 446 travailleurs contractuels avaient été employés, a été déclarée positive. La ville offrait à ces contractuels le même salaire qu'aux employés permanents débutants, et les mêmes augmentations économiques pour les deux premières années. Les augmentations subséquentes, par contre, étaient proportionnelles au rendement de chaque travailleur. Les contractuels ont bénéficié des mêmes avantages que les permanents en ce qui concerne les rations de céréales, l'assurance-maladie et l'assurance-chômage, ainsi que la pension de vieillesse et les prestations de décès. (6 oct.)

Autre point de vue sur le sous-emploi. (D.6)

D.6 *Trop d'interrupteurs – une ampoule*

为何灯不亮 只因开关多

工作

陈立勇

(L'ampoule symbolise le travail; les interrupteurs, les gens)

D.7

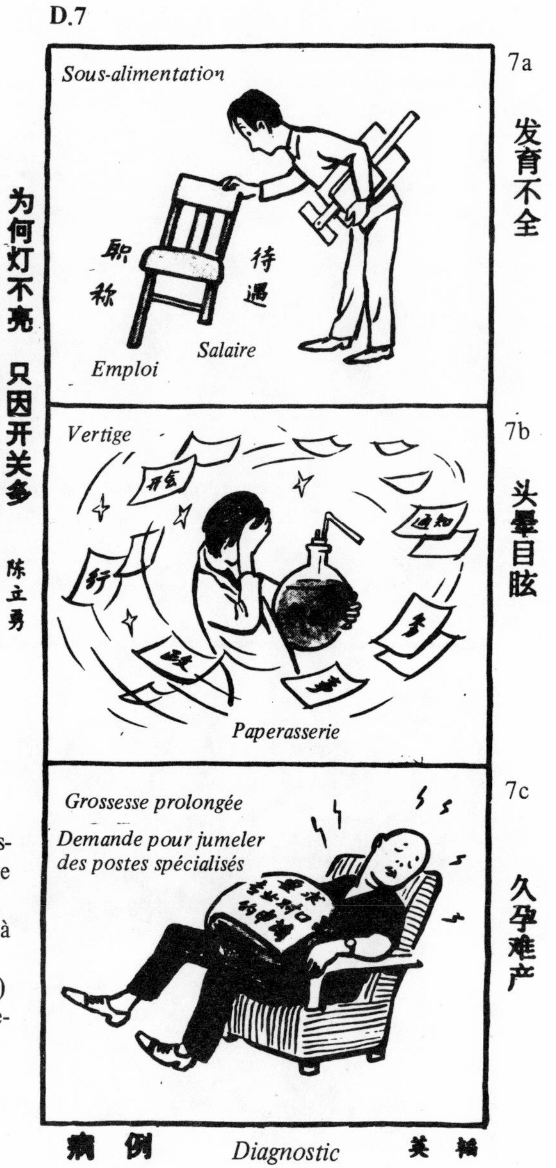

La résolution du problème du chômage et du sous-emploi est une tâche gigantesque[1]. Un caricaturiste signale trois aspects de ce problème:

- la difficulté de fixer le salaire qui convient à chaque emploi. (D.7a)
- les formalités administratives écrasantes. (D.7b)
- les retards dans le placement des candidats selon les emplois vacants[2]. (D.7c)

---

[1] Signalons le cas d'un collège de Beijing, construit en 1953 pour une centaine d'enseignants. Ils sont maintenant 1 200, mais on n'en a besoin que de 600. (10 nov.)

[2] La tâche s'est encore compliquée lorsqu'on a réorganisé les établissements d'enseignement sans tenir compte de l'effet de cette mesure sur le placement des travailleurs. Par exemple, la séparation de la faculté de médecine vétérinaire et des collèges d'agronomie a entraîné une spécialisation excessive, de sorte que de nombreux diplômés savent soigner les porcs et les bovins, mais non les chevaux, ce qui limite leurs perspectives d'emploi. (10 nov.)

Le monde du Travail / Apathie et irresponsabilité

L'apathie des travailleurs est attribuable en partie à leur personnalité, en partie au relâchement des contrôles sociaux, et aussi en partie au Bol de riz en fer, qui leur garantit un emploi à vie[1].

D.8 *Tableau des présences*

考勤牌

Présent *En congé*

出勤 休假

Aucun

Points de vue sur l'apathie.
(D.8, D.9)

D.9

多好的草地也有瘦马 *Cheval maigre malgré le pré vert* 凤歧

[1] Le Bol de riz en fer, «garantie absolue d'emploi, indépendante de l'efficacité des travailleurs», jointe à la hausse du niveau de vie et à l'accès plus facile aux divertissements collectifs modernes, encourage l'irresponsabilité. Cette politique est maintenant abolie par étapes. À l'avenir, tous les travailleurs seront évalués, rémunérés et maintenus dans leur emploi principalement selon leur rendement au travail. (6 oct.)

D.10

Travaux domestiques faits au bureau

D.11

没到上班时间 徐鹏飞

Ce n'est pas encore l'heure de travailler

Irresponsabilité sociale. (D.10, D.11)

Le système de placement en vigueur jusqu'à maintenant contribue aussi au peu d'engagement que certains travailleurs manifestent envers leur emploi. Beaucoup sont affectés à des emplois qui ne les intéressent pas, soit en raison de la nature du travail, soit à cause du lieu de travail. Leur mobilité est limitée. Même s'ils découvrent des débouchés ailleurs, les travailleurs ne peuvent obtenir une mutation que si leur employeur actuel les libère.

Le manque d'intérêt se manifeste aussi chez certains bénéficiaires du placement automatique, qui héritent leur emploi d'un parent retraité ou décédé. Certains parents prennent leur retraite uniquement pour pouvoir ajouter le revenu de leurs enfants à leur propre pension et augmenter ainsi le revenu familial. On s'est plaint dans les journaux que les enfants de certains employés d'usine étaient engagés sans concours à la fin de leur service militaire. (19 nov.)

D.12

Partie d'échecs non terminée

D.13

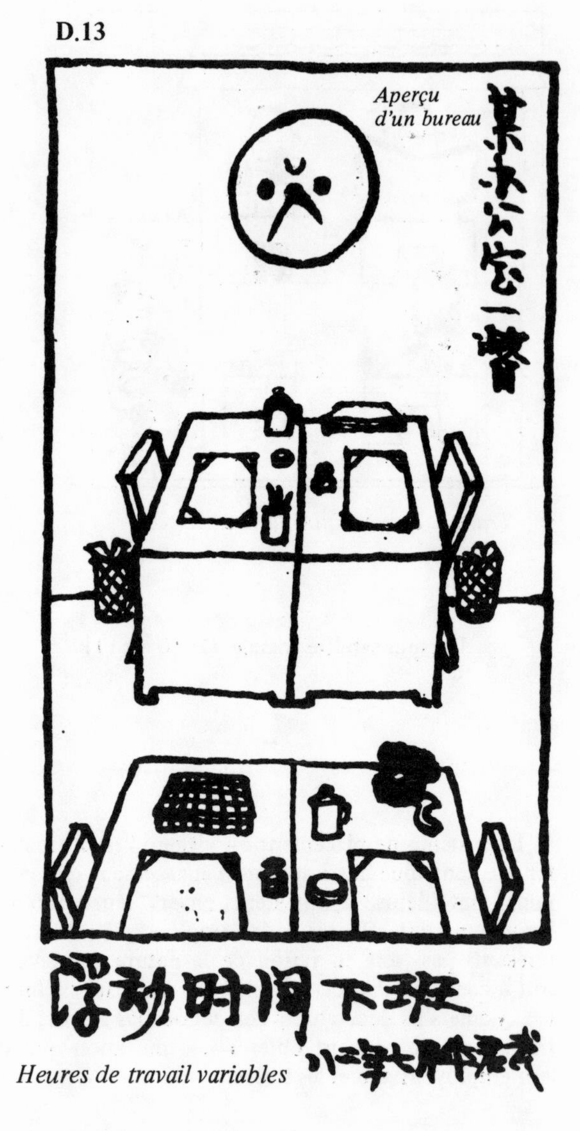

Heures de travail variables

Autres exemples d'irresponsabilité.
(D.12, D.13)

D.14

——老九！不能走 *Numéro 9, vous ne pouvez pas nous quitter!*

Alors que certains travailleurs éludent leurs responsabilités, d'autres écopent d'une charge de travail inéquitable. Dans certains cas, le travailleur surchargé est un «intellectuel[1]». (D.14)

---

[1] En 1978, le Congrès scientifique national chinois a reconnu les scientifiques (intellectuels) comme membres de la classe ouvrière. (3 sept.) Avant et durant la Révolution culturelle, au contraire, ils étaient classés au 9e niveau, celui des «inacceptables». En 1975, Deng Xiaoping, alors qu'il dirigeait le comité central du Parti, ouvrit la porte à l'intégration totale des intellectuels dans la société, citant Mao Zedong qui implorait en 1949: «Reste avec nous, mon neuvième frère.» Le vice-premier ministre voulait dire que les intellectuels, les «neuvièmes frères puants» de la Révolution culturelle, ne devaient plus être exclus. (3 sept.)

On constate aujourd'hui dans de nombreux instituts de recherche que, bien que les intellectuels soient en majorité au sein du personnel, un petit nombre seulement sont membres du Parti. On prend maintenant des mesures pour leur faciliter l'accès au Parti, afin de leur accorder un rôle plus important dans la formulation des politiques, rôle réservé aux membres du Parti.

Honqqu (*Drapeau rouge*), revue du comité central du Parti, exhorte les intellectuels du pays à se manifester davantage et à contribuer à surmonter la pénurie de personnel instruit. Les intellectuels ont répondu à cet appel par la voix de leurs diverses organisations et, sur leurs conseils, des services scientifiques, techniques et consultatifs apparaissent dans les villes, diffusant les connaissances tout en informant les ministères au besoin. (5 nov.)

Une autre modification qui touche les intellectuels est l'instauration d'un système de «recrutement ouvert», en vertu duquel les cadres intellectuels peuvent être choisis parmi ceux qui sont déjà en fonction ou recrutés à l'extérieur, par voie de concours sur avis public. Ces cadres doivent être évalués d'après leurs connaissances plutôt que d'après leurs tendances politiques. (3 nov.) Ce système permet une mobilité qui était autrefois impossible.

D.15

Étude avant les cours

Le maître de conférences est en congé, Dép[t] d'architecture

«Les intellectuels d'âge mûr de notre voisinage[1].» (D.15)

D.15a

«Les intellectuels sont les piliers de la nation, au même titre que les ouvriers et les paysans . . . Les intellectuels d'âge mûr portent un lourd fardeau social, mais n'obtiennent en retour qu'un maigre salaire et de médiocres conditions de vie.» (3 sept.)

D.15b

Occasion en or de se mettre à jour dans son travail

D.15c

---

[1] D.15a: Le professeur prépare son cours en faisant la file pour obtenir du lait frais pour ses enfants. (On paie généralement le lait une fois par mois, mais on va le chercher tous les jours.) Aujourd'hui, certains membres de professions libérales installés dans les grandes villes souffrent moins de cette incommodité grâce au réfrigérateur, aux services privés de livraison, aux magasins de quartier et aux services d'*ayi* (aides ménagères).

D.15b: Comme il est interdit de garder des bouteilles de gaz dans les habitations, le professeur emploie sa journée de congé à construire un mur.

D.16

Travailleur retraité prêt à négocier son salaire[1]. (D.16)

150 yuan – mais, je suis également négociable!

En moyenne, les femmes prennent leur retraite à 55 ans et les hommes à 60 ans, selon les métiers. Les fonctionnaires touchent de 60 à 80 p. 100 de leur ancien traitement et bénéficient de soins médicaux gratuits. D'autres, qui ne peuvent subvenir eux-mêmes à leurs besoins, dépendent de leurs enfants, qui sont tenus par la loi de les entretenir. Les retraités sans enfant trouvent du travail s'ils le peuvent, ou augmentent le nombre de pauvres à la charge de l'assistance publique.

---

[1] Beaucoup de retraités donnent des conseils, forment les jeunes ou s'adonnent à divers travaux, dirigeant par exemple la circulation ou intervenant comme conciliateurs dans les querelles de ménage. À Shanghai, 2 600 retraités aident la police à diriger la circulation chaque jour. Dans le nord-est de la Chine, dans la province de Harbin, plus de 6 000 d'entre eux travaillent dans des comités de quartier. (1er nov.) Les retraités offrent aussi leurs services pour travailler dans les endroits reculés, mais « certains cadres à l'esprit étroit soutiennent que ces retraités ne doivent pas être payés plus que le montant de leur pension. Ces cadres restreignent l'émigration des ouvriers retraités vers la campagne. » (8 déc.)

La qualité de la main-d'oeuvre s'améliore grâce à l'augmentation rapide du nombre de jeunes qui ont fait des études supérieures[1], auxquels s'ajoutent encore ceux qui, déjà sur le marché du travail, s'instruisent par eux-mêmes pour améliorer leur situation.

D.17

Certains traditionalistes doutent de la compétence des autodidactes. (D.17)

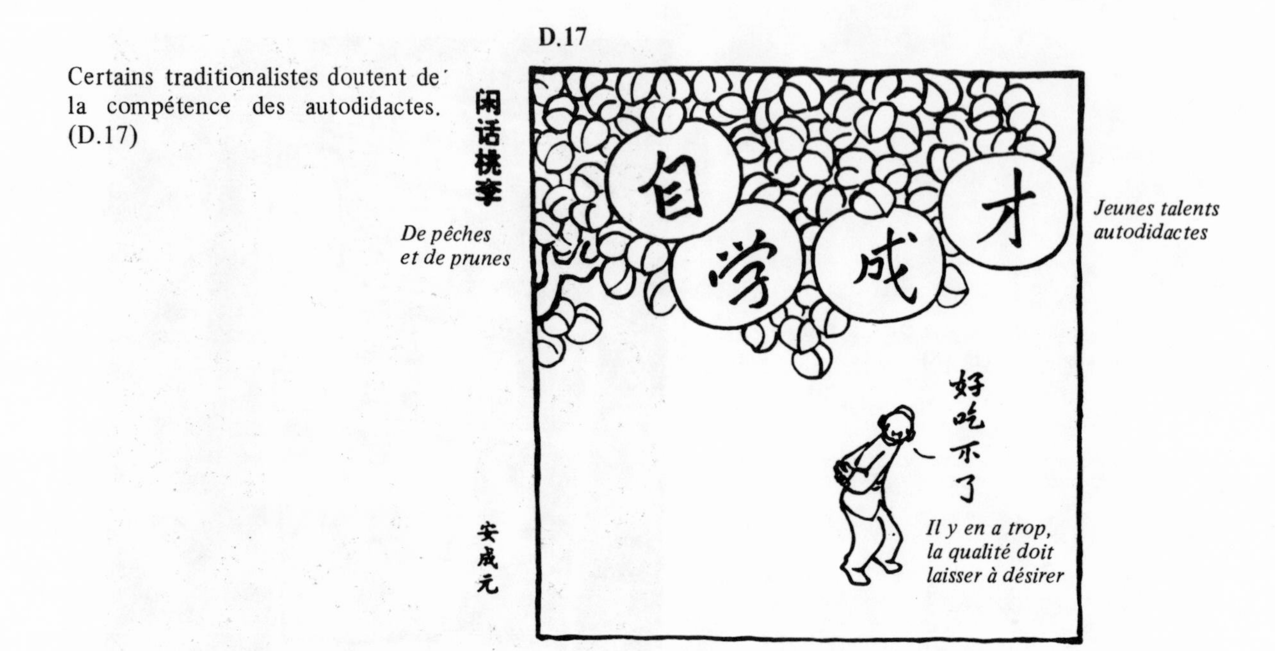

Diplômés mais découragés par le surplus de main-d'oeuvre et l'absence de débouchés, « beaucoup d'étudiants brillants quittent la ville et sont prêts à aller travailler à de grandes entreprises nationales de construction, spécialement dans les régions frontalières. » (10 août) Cependant, de l'avis du gouvernement, trop peu acceptent ces affectations et « on s'efforce patiemment de les aider à voir la nécessité d'aller là où on a grand besoin de leur formation. » (10 août) Dans le Nord-Ouest et le Sud-Ouest, par exemple, il y a « treize millions d'hectares de terres en friche et de riches ressources minières qui représentent une colline d'or à exploiter avec les outils de la science et de la technologie . . . il y a de la place pour établir des centaines de millions de personnes. » (19 nov.)

---

[1] Le progrès technologique, que l'on cherche actuellement à favoriser en Chine, va absorber un certain nombre de chômeurs instruits, mais, étant donné les difficultés de déplacement, jointes au niveau actuel du chômage, on peut prévoir que le problème durera longtemps. Des progrès notables ne seront possibles que grâce aux programmes prioritaires appliqués dans les nouvelles régions et grâce aux plans de mise en valeur intensive des régions actuellement sous-développées. Il faudra aussi offrir des avantages spéciaux pour encourager l'émigration volontaire vers ces régions.

E. LOGEMENT

La Chine souffre actuellement d'une crise du logement, tant dans les campagnes que dans les villes, en partie à cause de l'élévation du niveau de vie et des aspirations des Chinois, et en partie à cause de la politique de loyers modiques et d'égalité dans l'attribution des logements qui est appliquée depuis 1949[1].

L'écart entre l'offre et la demande est si grande que les logements sont habituellement attribués avant que leur construction ne soit terminée. Pour beaucoup de gens, les chances de devenir propriétaires de leur logement demeurent minces[2]. (E.1)

空 中 楼 *Château dans les nuages* 宗敬

---

[1] Les paysans ont toujours été autorisés à construire des habitations pour eux-mêmes, de sorte que le problème est moins grave dans les campagnes. L'une des cinq garanties vitales consacrées par la constitution de la République populaire, le logement relève de la politique sociale. Jusqu'à maintenant, les loyers étaient fixés à un niveau symbolique, qui ne correspondait pas à la valeur économique réelle des logements. Le loyer d'un appartement de deux pièces, par exemple, s'établissait en moyenne à 4 yuan par mois en 1983. Ce montant était insuffisant pour payer l'entretien de l'immeuble, qui devait par conséquent être subventionné par l'État. (21 jan. 1984) On ajuste maintenant les loyers graduellement pour les rapprocher de la valeur économique des logements, et les subventions universelles doivent être remplacées par des prestations sélectives proportionnelles au nombre de personnes que comprend la famille, à leur revenu et à leurs conditions de logement. (24 juin)

Un autre problème venait du fait que le prix moyen demandé pour les logements construits par l'État correspondait au tiers de leur prix de revient. Pourtant, un petit nombre de gens seulement avaient les moyens d'acheter leur habitation, de sorte que la situation du logement ne s'améliorait guère, tandis que les sommes recouvrées étaient insuffisantes pour financer la construction de logements supplémentaires. (24 juin)

[2] On estime que, pour fournir un appartement à chaque famille urbaine d'ici 20 ans, il faudrait consacrer de 600 à 900 milliards de yuan à la construction de 190 millions d'appartements. (24 juin)

E.2 *Magicien*

E.3 *Partie d'échecs: nouvel ensemble d'habitations*
Joueurs: Les gens qui ne peuvent trouver un abri par rapport à ceux qui ont des accointances

一盘没有下完的棋 *Décision sérieuse*

Les injustices commises par les cadres dans l'attribution de logements aggravent la pénurie[1]. (E.2, E.3)

---

[1] On a dénoncé des cas extrêmes où des cadres ont obtenu par expropriation ou construit illégalement des logements au mépris de la campagne lancée contre ce genre de pratique, qualifiée par eux de «vent qui passe». Dans la province du Shanxi, par exemple, deux cadres supérieurs ont été démis de leurs fonctions et suspendus du Parti pour un an pour des agissements semblables. Dans la même ville, un autre cadre a défié l'ordre d'évacuer sept appartements situés dans cinq villes différentes, obtenus par abus de pouvoir ou construits avec des fonds détournés à son profit et au profit de ses filles. (29 juill.) La Commission disciplinaire centrale du Parti de Beijing a dû intervenir pour arrêter la construction de cinq appartements qui étaient destinés au gouverneur et au gouverneur adjoint de la province du Shanxi, et qui outrepassaient les lignes directrices du gouvernement. (23 août) Le cas de cette province n'est pas unique, mais typique des attitudes égoïstes qui entravent la campagne officielle de création de logements.

Il existe un vigoureux programme de construction de maisons[1], mais le gouvernement encourage en même temps la rénovation parallèlement à la démolition et à la reconstruction. La Banque industrielle et commerciale de Chine, qui a lancé un programme de prêts d'aide à l'habitation en 1982, finance la rénovation des vieux bâtiments au même titre que la construction des nouveaux immeubles.

E.4

Beaucoup de vieilles maisons sont délabrées. (E.4)

Les vieilles maisons saisies durant la Révolution culturelle sont maintenant restituées à leurs anciens propriétaires, d'où une augmentation de la demande de nouveaux logements pour ceux qui seront expulsés[2]. Par ailleurs, les fonds qui étaient autrefois consacrés à l'entretien de ces vieux bâtiments pourront maintenant servir à la construction d'autres logements. (15 juin)

---

[1] Entre 1979 et 1982, 21,6 p. 100 du budget d'immobilisation de l'État a été consacré au logement. Au niveau municipal, Shanghai a achevé un ensemble d'habitations de 3,5 millions de mètres carrés en 1983 et entrepris immédiatement un autre ensemble de 1,4 millions de mètres carrés de son programme de 1984. Ces travaux sont des exemples typiques de l'activité dans le domaine du bâtiment. (26 oct.)

En 1983, l'Office municipal du logement de Shenyang a mis en chantier 300 appartements de 20 à 25 mètres carrés chacun et projette d'en terminer 2 000 autres en 1984. Ces logements ont été offerts à des prix variant entre 9 000 et 10 000 yuan. « Les locataires éventuels, cependant, n'avancent que le tiers du prix, et c'est leur employeur qui paie le reste. Une remise qui peut aller jusqu'à 20 p. 100 est accordée à ceux qui paient comptant, tandis qu'un plan d'achat à tempérament sur 15 ans est offert aux acheteurs moins fortunés. » Chaque appartement est meublé d'un grand lit, de deux chaises, d'un pupitre et d'une armoire. Quatre-vingt-sept logements se sont vendus en une seule journée, et le reste a été acheté d'avance. (21 févr. 1984)

Le ministère de la Construction urbaine et rurale et de la Protection de l'environnement a recommandé les mesures prioritaires suivantes pour accélérer la construction de logements: « Limitons strictement les dimensions et le prix de revient des nouveaux appartements. Sauf dans les grandes villes, il faudrait donner la priorité aux immeubles de cinq à six étages, qui sont les plus économiques et les plus rapides à construire. Encourageons le développement de l'industrie des matériaux de construction et donnons-lui la priorité dans six domaines: fourniture de matières premières, de combustible et d'électricité; innovation technique; construction d'équipement; emprunts au pays et à l'étranger; importation de nouvelles technologies; et transport. » (24 juin)

[2] Environ 510 000 pièces doivent être restituées. L'administration du logement de Beijing estime qu'il faudra cinq ans pour trouver un autre logement aux occupants actuels, afin que tous les logements saisis puissent être restitués. Les propriétaires seront alors libres de les louer, de les vendre ou de les occuper à leur gré. (15 juin)

F. FAMILLE ET SOCIÉTÉ

F.1

Des traces d'élitisme commencent à réapparaître. (F.1)

L'une des premières mesures prises par la République populaire en 1949 fut d'essayer d'éliminer les traces des niveaux hiérarchiques qui étaient bien implantés dans la société chinoise. On visait, d'une façon générale, à faire participer tout le monde au développement du pays dans un souci d'égalité et de respect mutuel, quelle que fût la tâche à accomplir. Il y eut alors un brassage de classes sociales. Toutes les personnes qui, par leur ascendance ou par leur occupation intellectuelle, commerciale ou administrative, avaient été identifiées à une classe privilégiée furent forcées de désavouer leur passé pour être acceptées à part entière dans le nouvel ordre social[1].

Depuis 1978, certains Chinois défendent ouvertement le principe d'une absence de contradictions entre la classe sociale et l'engagement envers l'État. Des traces d'élitisme commencent à réapparaître. Par exemple, Kong Dimao, descendant de Confucius à la 77e génération, survécut à la Révolution culturelle et, en qualité de membre de la nouvelle classe intellectuelle, publia en 1983 un livre qui a fasciné la Chine actuelle, *Anecdotes sur la vie dans les cours intérieures de la famille Kong*. D'autre part, pendant les excès de la Révolution culturelle, une partie des archives sur Confucius que possédait la famille Kong furent détruites. (8 juill.)

---

[1] Tous les membres de professions libérales – enseignants, médecins, gestionnaires, ingénieurs, etc. – qui n'étaient pas membres du Parti furent considérés comme des intellectuels indésirables, mais autorisés à exercer leur emploi selon les besoins de l'État et dans la mesure où ils s'adaptaient aux changements sociaux. Pendant la Révolution culturelle, la littérature contrôlée – la seule permise – condamna ces «intellectuels» comme «opposés au Parti, au socialisme et à la pensée de Mao.» On les disait «étrangers, anciens, féodaux, bourgeois et révisionnistes.» (3 sept.)

Certains membres de la vieille génération désirent fortement que leurs enfants se marient avec un conjoint issu de la « bonne » société[1]. (F.2)

F.2

子：妈妈，她是我的对象叫……。
母：这我不管，我问她父母是哪一级干部？
苗　地

Fils: Maman, je te présente ma petite amie. Elle s'appelle . . .
Mère: Je me soucie peu de son nom. Quel rang ses parents occupent-ils dans le Parti?

---

[1] Le citadin moyen ne cherche plus à s'identifier, aux yeux des étrangers, à un milieu paysan ou ouvrier, comme ce fut le cas jusqu'au début des années 70. Il est maintenant permis de reconnaître ses liens avec les riches, les intellectuels et les cadres supérieurs. En effet, ces catégories sociales sont présentées dans la littérature chinoise comme des niveaux que l'on tend à atteindre ou à maintenir, selon le cas.

La robe de mariée, dont les motifs représentent d'anciennes pièces de monnaie chinoise, symbolise le mariage avec un conjoint riche[1]. (F.3)

F.3

Essayage de la robe de mariée

[1] Les mariages de convenance sont interdits en Chine aujourd'hui, contrairement à l'époque antérieure à 1949, où ils étaient courants. On en trouve encore des cas, à l'occasion, mais une forme modifiée, plus répandue, consiste pour la famille à refuser un conjoint issu d'une classe sociale «inférieure».

Dans un cas signalé en 1983, un professeur d'université et son mari, cadre supérieur, s'opposaient à la liaison de leur fils avec une enseignante d'une école secondaire, parce que celle-ci était d'une classe sociale inférieure à celle du fils, diplômé d'université. Toutes les brus de la famille étaient issues des universités les plus connues, et les parents craignaient qu'un tel mariage n'ait une influence négative sur la génération suivante. Ils mirent donc un terme à la liaison, la fille se suicida et la mère du garçon fut condamnée à la prison pour avoir harcelé la jeune fille et provoqué sa mort. Le public approuva la punition, estimant que les jeunes devaient être libres de choisir leur conjoint sans l'intervention des parents et sans souci des classes sociales. (8 juill.)

F.4

Les jeunes ouvriers dévoués ne reçoivent pas toujours un encouragement sans réserve de leurs parents des « classes supérieures »[1]. (F.4)

En général, la jeune génération résiste à la fois aux excès commis au nom des idéaux sociaux de la Révolution culturelle, et à la hiérarchie sociale distinctive d'autrefois.

[1] Dans ce dessin qui illustre le conflit des générations, les idéaux de la jeune ouvrière entrent en conflit avec les aspirations sociales de son père. Ce dernier déplore qu'elle ait accepté un emploi indigne de la famille, tandis que le désespoir de la jeune fille est indiqué par les lauriers à ses pieds. (La situation sociale élevée du père et son niveau de vie sont symbolisés par les motifs des accoudoirs du divan, qui représentent d'anciennes pièces de monnaie chinoise. Les critères bourgeois du père sont mis en évidence par ses vêtements à l'occidentale.)

La presse, dans la mesure où elle est libre, peut refléter à long terme le sentiment populaire[1].

Dans certains cas, la réapparition de l'élitisme est attribuable à la publicité. (F.5)

F.5

人造卫星 *Les médias créent des stars* 民

En Chine, il existe une sorte de paradoxe en vertu duquel les gens s'attendent à ce que l'élite adopte certaines formes de comportement distinctif et expriment par ailleurs leur désapprobation de ces actions[2]. Cependant, le gouvernement craint que des distinctions trop visibles entre les classes ne suscitent le mécontentement général.

---

[1] La presse n'est pas et ne prétend pas être entièrement libre. Toutefois, jusqu'à 1978, elle ne reflétait que la politique du gouvernement, tandis que maintenant, elle se fait aussi l'écho du sentiment populaire.

[2] Voici un article du *China Daily* (12 novembre) à ce sujet:

Les cadres se mêlent moins aux masses

Selon un journal de Wuhan, les hauts fonctionnaires se mêlent moins aux gens qu'il y a 30 ans.

Une récente édition du *News Digest*, citant le *Wuhan Wenhua Bao*, annonçait que certains hauts fonctionnaires avaient maintenant des gardes du corps et passaient peu de temps avec le peuple, contrairement à la fin des années 40 et 50, où il n'y avait aucune distinction spéciale entre les deux groupes.

L'article a été rédigé en réponse à un appel récemment lancé par un cadre supérieur du Parti et prônant un retour au style qu'avait le Parti dans les années d'avant et d'après la Libération.

Pour souligner le changement d'habitudes, le journal racontait qu'à l'automne 1949, un groupe de fonctionnaires de Wuhan décida de se rendre au théâtre.

Les cadres achetèrent leurs billets et assistèrent discrètement à l'Opéra de Beijing, mais, alors qu'ils sortaient du théâtre, l'un des fonctionnaires sentit une main fouiller dans sa poche.

Le journal ajoute: «De nos jours, il serait très difficile pour un pickpocket de dévaliser ces fonctionnaires, car ils ont des gardes du corps et ne sont plus facilement accessibles.»

F.6

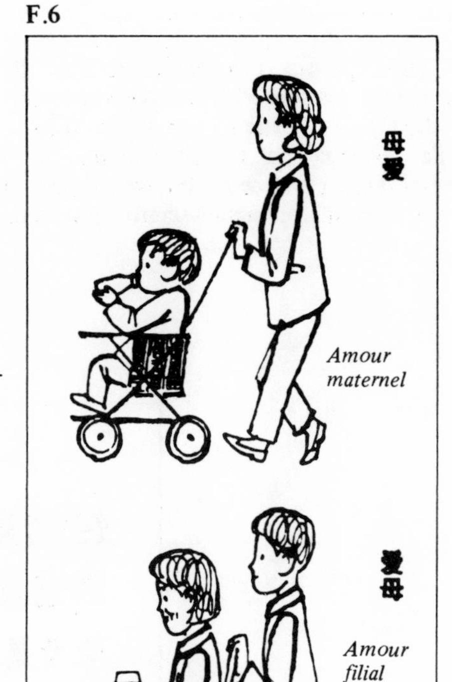

Réaffirmation de l'amour et du respect filiaux. (F.6)

À la fondation de la République populaire, en 1949, la Constitution conféra aux femmes « l'égalité avec les hommes en matière de politique, d'économie, de culture, de vie sociale et familiale. » (5 oct.) Auparavant, les femmes n'avaient aucun droit d'héritage et étaient subordonnées aux « trois obéissances: au père avant le mariage, au mari après le mariage, et au fils après la mort du mari. » En outre, quatre vertus devaient régir leur code de comportement: moralité, langage convenable, modestie et diligence. Par conséquent, la place de la femme dans la société était clairement définie. Les hommes, par contre, devaient avoir le sens des responsabilités et de l'autonomie, et n'étaient donc soumis à aucun code semblable. (12 nov.)

Le gouvernement continue à promouvoir l'acceptation sans réserve des femmes, malgré la résistance d'éléments conservateurs.

En 1949, les femmes entrèrent sur le marché du travail à titre de partenaires égales. Elles assumèrent toutes sortes de travaux durs et, en compensation, reçurent le droit à une rémunération égale, à des avantages spéciaux pendant la grossesse et l'allaitement, et à des garderies pour les enfants sevrés. Cependant, on les frustre parfois de ces droits.

Par exemple, la section féminine du syndicat général d'une province est intervenue pour mettre un terme à la discrimination contre les femmes dans cette province. Dans certains cas, les femmes étaient forcées de prendre des congés de maternité allant jusqu'à deux ans, avec une rémunération de 30 à 50 p. 100 de leur salaire, et parfois sans aucune rémunération; par contre, de nos jours (1983), la loi fixe la rémunération moyenne de maternité à 70 p. 100 du salaire. Certaines entreprises avaient même fermé leurs garderies par souci d'économie, indifférentes au dilemme dans lequel elles enfermaient les jeunes mères. (12 juill.)

F.7

Mon arbre généalogique: Maman est née l'année de la vache; Papa est né l'année du lapin; Frérot est né l'année du coq; Moi, l'année du rat.
Maman est donc celle qui travaille le plus fort dans la maison.

Certains maris refusent de participer aux tâches ménagères, laissant les femmes cumuler de multiples travaux professionnels et domestiques[1]. (F.7)

---

[1] Certains hommes justifient leur refus d'engager des femmes en alléguant qu'elles sont trop faibles ou qu'elles ont trop de travail à la maison. Certaines entreprises font passer des examens d'admission aux candidats des deux sexes, mais éliminent automatiquement les femmes. D'autres admettent qu'elles engageraient plutôt un homme de niveau «C» qu'une femme de niveau «A». (8 juill.)

Les femmes rurales portent un fardeau encore plus lourd que les citadines. Elles doivent travailler aux champs au même titre que les hommes, porter les produits agricoles au marché, leur charge suspendue à un balancier, dans les communes moins développées, et en plus s'occuper du ménage. Parfois, comme les femmes Dai, elles tissent et filent par surcroît. (7 juill.)

F.8

Maman! Une fourmi

妈妈！妈……蚂蚁！

高世谈

Les femmes son faibles. (F.8)

Une célèbre Mongole, Ulan, dont la vie a inspiré un opéra, dénonçait en 1983 les pratiques discriminatoires en ces termes: « Je crois que les femmes n'ont pas les mêmes chances (de nos jours) que nous lorsque nous avons participé à la Révolution dans les années 30 et 40. Je dirigeais tout un escadron d'hommes et aucun ne me désobéissait, bien que je sois une femme[1].» (6 juill.)

Certains des problèmes des femmes ont été résumés à l'occasion du Cinquième congrès national des femmes en septembre 1983:

« – la discrimination dans les affectations professionnelles et les promotions;
– la réapparition du meurtre des filles nouveau-nées;
– la préférence pour les bébés de sexe masculin;
– les ventes d'épouses et autres abus des femmes;
– la persistance d'idées féodales;
– l'influence des idées bourgeoises venues de l'étranger;
– la clémence à l'égard des délinquants.» (3 sept.)

[1] Les femmes ne sont pas satisfaites de leurs progrès dans la hiérarchie de la main-d'oeuvre active et du Parti. Quelques femmes occupent des postes importants. En 1983, par exemple, une femme a été élue présidente du Sixième comité national de la conférence consultative politique du peuple chinois. (18 juin) Toutefois, ces femmes sont habituellement promues à un âge avancé, tandis que le gouvernement a pour politique de faire avancer les jeunes hommes. Des représentantes de groupes féminins exigent que «les jeunes administratrices gestionnaires bénéficient des mêmes occasions de promotion que les hommes.» (28 juin)

Lei Jiequiong (78 ans), présidente du comité juridique du Congrès national du peuple ainsi que de la Fédération nationale des femmes chinoises et de l'Association chinoise pour la promotion de la démocratie, signalait en 1983 que «la discrimination sexuelle et le meurtre des filles nouveau-nées ne sont que des manifestations visibles du patriarcat invisible qui persiste malgré toutes les règles et les lois rédigées depuis la Libération pour imposer l'égalité politique et économique.» (23 août)

Au cours des six premiers mois de 1983, 26 femmes de 31 à 52 ans ont été élues à des postes de commande dans 24 districts, circonscriptions ou administrations de Tianjing, ce qui montre que la situation de la femme est en train de changer. Cependant, les femmes cherchent davantage que des nominations symboliques et demandent qu'on les mette en vedette le plus possible au niveau national pour servir d'exemples.

Les femmes qui ont une forte personnalité ou qui occupent des postes influents sont souvent blâmées pour les motifs et les actions malhonnêtes des cadres directeurs[1].

Huit « femmes ordinaires» issues de familles de cadres supérieurs « ont signé une proposition suivant laquelle les femmes ne doivent pas se mêler du travail de leur mari . . . en rappelant que, dans l'ancienne Chine, pour être vertueuse, une femme ne devait pas se mêler du travail de son mari ni une reine se renseigner sur les affaires de l'État.» (5 nov., 4 juin) (F.9)

F.9 *Le soutien d'une bonne épouse aujourd'hui*

Diplomatie féminine

[1] Par exemple, on accuse les femmes d'essayer d'empêcher leur mari de prendre la retraite; d'aider leurs fils, par des moyens légaux ou illégaux, à éviter le service en première ligne dans les forces armées; et de prendre l'avion pour aller choisir un gendre.

Certaines femmes s'objectent à ce qu'on blâme les femmes pour les méfaits des hommes: «il est injuste de rejeter toute la responsabilité sur les femmes. C'est ce que les chroniqueurs féodaux avaient l'habitude de faire. Ils trouvaient une femme à blâmer pour la chute de chaque dynastie.» (2 juill.)

Le style de vie et les aspirations modernes des femmes chinoises se reflètent dans le fait que les citadines fréquentent maintenant les salons de beauté qui sont apparus depuis trois ans. C'est là que certaines femmes se prêtent à la chirurgie esthétique pour modifier leur visage. Les femmes qui étaient à l'école de beauté et de santé de Beijing, établie en 1981, justifièrent leur présence par le désir de gagner ou de perdre du poids, mais surtout d'embellir et de développer leur confiance en soi[1].

Les jeunes femmes doivent parfois prendre des décisions difficiles lorsqu'elles souhaitent combiner les intérêts féminins traditionnels avec leur développement professionnel. Par exemple, certaines étudiantes au département de génie chimique d'une université, avaient des fiancés qui ne désiraient pas les voir continuer leurs études car, une fois mariés, ils n'entendaient pas participer aux travaux ménagers. Bref, la réaction des étudiantes fut: « . . . Il semble que si une femme désire suivre une carrière, elle ne puisse qu'aller à l'extrême, c'est-à-dire renoncer complètement à la paix et au calme d'une vie familiale normale . . . En choisissant une vie plus facile et en abandonnant notre carrière, nous nous sentirons coupables de ne pas avoir répondu aux attentes de notre peuple et de notre pays. La poursuite d'une carrière nous laissera peu de temps pour une vie personnelle, mais d'autre part, nous en serons plus heureuses[2].»

Les hommes chefs de famille « admettent» les styles de vie des jeunes femmes indépendantes de notre époque, constatant qu'ils ne peuvent persister dans les traditions « autocratiques» sans compromettre l'unité familiale. Par exemple, les filles qui travaillent et habitent à la maison contribuent encore au revenu familial, mais déduisent deux yuan pour une ondulation permanente, en vue d'éviter d'affronter un père peu enthousiaste[3].

Un mouvement actif de libération de la femme est convaincu que, si les femmes manifestent suffisamment de « respect de soi et de détermination pour conquérir la société entière», elles atteindront à la longue « la véritable égalité sexuelle[4].»

F.10

« S'embellir» en détruisant les fleurs. (F.10)

---

[1] « Je ne désire pas être seulement une mère complaisante et dévouée comme la plupart des Chinoises, expliquait une des filles de l'école. Je désire découvrir ce que je suis réellement, de manière à être plus énergique et à m'affirmer.» (7 août)

[2] *Femmes de Chine*, févr. 1984, p. 16.

[3] *La Chine en construction*, juill. 1982.

[4] *Femmes de Chine*, févr. 1984, p. 16.

L'amélioration des conditions économiques a modifié la vie des enfants autant que celle des adultes. On se propose de faire en sorte que les 300 millions d'enfants du pays bénéficient de vêtements, de jouets, de livres et de services culturels améliorés et plus variés.

Les changements apportés au milieu culturel des enfants contrastent avec la situation d'avant 1978. (F.12, F.13)

Les enfants de cadres urbains vivent dans l'abondance matérielle. (F.11)

F.12

Autrefois: Seulement des spectacles de marionnettes itinérants pour nos enfants

从前，为儿童演出的，只有街头「耍耗子」和「喔丢丢」（扁担木偶戏）

F.11

F.13

Aujourd'hui: Les enfants ont leurs propres spectacles, théâtres . . .

如今，不仅有儿童剧院、剧团，还有专为儿童开设的影院和剧场

F.14

(Le rappel est fait par des articles pour enfants)

谢　幕　　　　孙以增

——亲爱的小朋友，"六一"节已过，明年再见！

Chers enfants, nous nous reverrons à la fête des enfants l'an prochain

Tant les parents que les autorités ressentent le besoin d'accroître les services matériels (F.14) et culturels (F.15) mis à la disposition des enfants.

F.15

——小朋友，作家叔叔还没有把剧本写好，再等一会儿，好不好？　　　　韦启美

Désolée, l'auteur travaille encore à sa pièce. Je vous demande encore quelques minutes de patience!

« Il n'y a pas beaucoup de bons livres pour enfants en Chine depuis quelques années, car on a trop insisté sur les longs articles à l'intention des adultes[1]. »

Contenu répétitif des livres pour enfants. (F.16)

F.16

Livres de lecture pour les enfants

Dans un effort pour accroître la variété des livres, la Maison d'édition pour enfants[2] publie de plus en plus de traductions de livres provenant de Yougoslavie, de Roumanie, du Japon, du Canada et d'autres pays. (1er juill.) Le secrétaire général de l'Association des écrivains chinois est heureux de ces traductions, puisque, d'après lui, « un bon livre peut dépasser les frontières et appartenir à tous les enfants du monde . . . De nombreux écrivains contemporains se font un devoir d'aider les enfants, surtout d'âge préscolaire, à connaître le monde et les encouragent à développer leur imagination[3]. »

---

[1] Déclaration d'un traducteur de la Maison d'édition du Peuple au cours d'un débat sur la littérature pour enfants. *Femmes de Chine*, juin 1984, p. 38.

[2] Établie en 1955, puis fermée de 1966 à 1976 pendant la Révolution culturelle, cette maison a publié au total 205 millions de livres, soit 1 150 titres. (1er juill.)

[3] *Ibid.*

La Chine, dont la population approche le milliard d'habitants, a intensifié son programme de contrôle des naissances afin de réduire la demande de biens de consommation personnelle et d'accélérer l'accumulation du capital.

Depuis 1978, une campagne incessante encourage et soutient les familles à enfant unique[1]. (F.17)

F.17

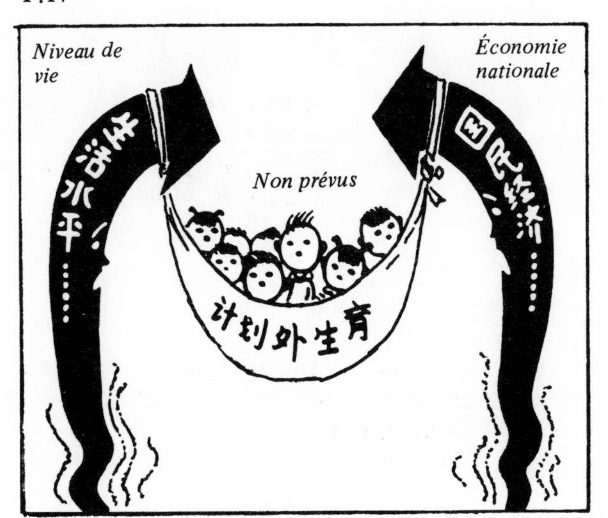

多余的负担 *Fardeau en trop* 全三（沈阳）

---

[1] En général, le programme de contrôle des naissances utilise à la fois la publicité, la persuasion et l'accès facile à la contraception. Cependant, il comporte des variations provinciales et locales. Des comparaisons entre les niveaux de vie des unités illustrent l'efficacité des divers programmes. En 1982, par exemple, la circonscription de Rongcheng, dans la province de Shandong, a eu l'honneur d'afficher l'une des plus faibles natalités du pays: 10,02 pour 1 000, en comparaison avec un taux national de 14,55. (14 juin)

Dans une commune (Quijia), la nécessité de meilleurs programmes de contrôle des naissances se révèle dans les données économiques suivantes: la production de céréales de 1981 reflétait une augmentation de 160 p. 100 sur celle de 1949, mais la production par habitant ne montrait qu'une augmentation de 70 p. 100 à cause de la croissance démographique et de la perte de terres employées pour les nouvelles habitations. (14 juin)

La province du Sichuan, qui possède le dixième de la population nationale, consacre chaque année environ 30 millions de yuan à son programme de contrôle démographique. À cause de sa croissance démographique, et même si sa production industrielle et agricole totale vient au cinquième rang parmi les 29 provinces, régions autonomes et municipalités, le Sichuan occupe la 25e place en ce qui concerne la production par habitant. Ses 12 000 préposés à la planification familiale travaillent dans des usines, des mines et des villages en collaboration avec les médecins locaux, de sorte que le taux de naissances est passé de 4 p. 100 en 1970 à 1,5 p. 100 en 1982. Néanmoins, la province est loin d'être satisfaite et «prévoit de rester à la tête du pays en ce qui concerne la planification familiale.» (17 juin)

Pour l'ensemble de la Chine, le taux actuel de croissance démographique est de 1,4 p. 100. Le gouvernement a pour politique de «le ramener à 0,95 p. cent d'ici vingt ans (par la planification familiale) pour maintenir la population en deça du chiffre de 1,2 milliard à la fin du siècle.» (17 juin)

En général, la règle de l'enfant unique est appliquée moins strictement pour les familles rurales et les Chinois revenus d'outre-mer[1].

À cause des normes traditionnelles, il est plus facile aux familles d'accepter la règle de l'enfant unique lorsque le premier-né est un garçon. (F.18)

En Chine, les groupes féminins, de même que le gouvernement, prônent l'acceptation à part entière des filles premières-nées[2].

F.18

并非 "三句半"　毛景峰

Astuce

---

[1] Diverses sanctions sont imposées aux familles qui ont plus d'un enfant. Il peut s'agir de taxes supplémentaires pour l'éducation et les autres services financés par la collectivité. Pour donner l'impression que la planification familiale fonctionne bien dans leur secteur, certains cadres refusent de signaler toutes les naissances, privant ainsi des nouveaux-nés d'une situation légale, ainsi que de leur ration de grain. (*La Chine en construction*, juillet 1982, p. 37)

[2] En novembre et décembre 1983, par exemple, la Fédération provinciale des femmes du Jiangxi, conjointement avec «le comité provincial du Parti, le gouvernement, le syndicat, la Ligue de la Jeunesse communiste, et les ministères de la Justice, de l'Éducation, de la Santé publique et de la Publicité (17 organismes au total)», a mené une campagne d'un mois destinée à «sensibiliser le public aux dispositions juridiques qui leur donnent plus de pouvoirs pour combattre les conceptions féodales et bourgeoises et réprimer les crimes contre les femmes et les enfants.» Pendant la campagne, une femme d'une commune avoua qu'elle avait été «si désireuse d'avoir un garçon pour maintenir la lignée familiale» qu'elle avait donné sa fille première-née. «Je ne savais pas que c'était un crime d'abandonner une fille nouveau-née» avait-elle dit à d'autres femmes de son village. «Le meurtre des filles nouveau-nées et les mauvais traitements infligés aux mères de filles nouveau-nées» sont des «vestiges de conceptions féodales» auxquels la Fédération chinoise des femmes s'attaque afin de défendre les intérêts légitimes des femmes. (*Femmes de Chine*, avril 1984, p. 12)

Des encouragements financiers sont offerts aux parents qui acceptent de n'avoir qu'un enfant[1]. Ces enfants bénéficient de la priorité pour l'accès aux établissements d'enseignement et aux autres services de l'État, et d'un emploi futur garanti. Ils posent un problème nouveau et passionnant à leurs instituteurs, qui les caractérisent comme « gâtés, égocentriques, rebelles, dominateurs et capricieux. » Lorsqu'ils arrivent pour la première fois à la maternelle, ils « n'obéissent à personne et pleurent facilement. »
(15 juill.)

Les esprits de ces enfants sont généralement bien développés à cause du surcroît d'attention qu'ils reçoivent. On s'attend à ce que les parents fassent preuve de patience à leur égard[2]. (F.19)

Cent mille et un pourquoi

F.19 十万零一个为什么 赵学禹

---

[1] En 1980, on estimait que les avantages sociaux accordés aux parents qui coopéraient, à Beijing, correspondaient à environ 20 p. 100 du revenu d'un employé. (*Beijing Review*, 28 juill. 1980, p. 6)

[2] Une mère qui avait perdu patience dans un restaurant parce que son enfant avait brisé successivement deux cuillères, suscita «la réprobation des autres clients du restaurant» et les remontrances de la serveuse, laquelle lui fit observer «qu'il était inutile de frapper la petite, car celle-ci était trop jeune pour savoir que les cuillères sont fragiles.» (*Femmes de Chine*, févr. 1984, p. 40)

F.20

Chocolats, miel, lait, vitamines . . .

Les parents gâtent leur enfant unique, dans lequel ils concentrent toutes leurs aspirations.
(F.20, F.21)

F.21

内外无别 *Rien de confidentiel* 哈 笑

F.22

Parents-gâteau[1]. (F.22, F.23)

F.23

Ces attitudes contrastent avec celles du début des années 70 et d'avant, époque où les concepts du «souci des autres» et du «service d'autrui» étaient à la mode.

[1] On constate de plus en plus, chez les enfants uniques, un manque d'esprit communautaire, attribuable au fait qu'ils sont choyés par leurs parents. Par exemple, un enfant s'étant battu à l'école, son père s'y présenta le lendemain. Sans un mot au professeur, le père cria aux élèves: «Qui a battu mon enfant? Si l'un de vous ose encore le toucher, il aura affaire à moi.» Dans un autre cas, un enfant ayant dit à ses parents qu'on l'avait félicité pour avoir renoué le lacet d'un autre, le père réagit avec colère en disant qu'on allait à l'école pour apprendre et non pour servir autrui. (15 juill.)

On a établi des programmes spéciaux pour développer l'esprit collectif chez les enfants uniques. Les camps d'été pour enfants deviennent de plus en plus populaires[1], et les meilleurs, comme le club pour enfants du Temple du Ciel, à Beijing, sont réservés aux enfants uniques. (16 juill.) Les parents recourent parfois à des manoeuvres clandestines pour faire accepter leurs enfants dans ces camps ou dans d'autres établissements clés[2].

F.24 *Tableaux d'enfants – Exposition*

儿童画展

Très bon travail. Que dirais-tu d'en faire un autre?

好，再画一张行吗？

五岁作

Papa! Le professeur aimerait que tu fasses un autre dessin

爸爸，阿姨让您再画一张

当场露馅 *Pris en flagrant délit* 韩冬 孙泽良

Aide parentale. (F.24, F.25) 5)

F.25

神乎其神 *Petit prodige* 张乐平

On raconte l'histoire d'un enfant qui « savait dessiner un aigle fondant sur un poulet, mais rien d'autre. En fait, le dessin initial avait été fait par son père, qui lui avait dit de le recopier plusieurs fois et ne lui permettait pas de dessiner autre chose. » (19 nov.)

---

1 Pendant l'été 1983, par exemple, 25 sociétés scientifiques nationales, centres pour enfants, comités de quartier et journaux ont organisé des activités. L'Institut chinois des Communications, qui avait le principal camp (15 000 enfants), a offert notamment des conférences, des films, des études sur la télégraphie, ainsi que des visites à des stations terriennes pour satellite et à des installations de communication. Dans les régions d'activité sismique, la Société sismologique a organisé des activités dans ce domaine. D'autres camps se sont spécialisés en écologie, en exploitation forestièree, en astronautique, en entomologie, en météorologie et en construction navale. Dans les villes, les comités de quartier ont organisé des jeux, des leçons, des films et des programmes artistiques. (juill.)

2 Les camps et les établissements d'enseignement clés sont prestigieux, et leurs diplômes assurent l'accès aux meilleurs établissements du cycle suivant et, finalement, aux meilleurs emplois.

F.26

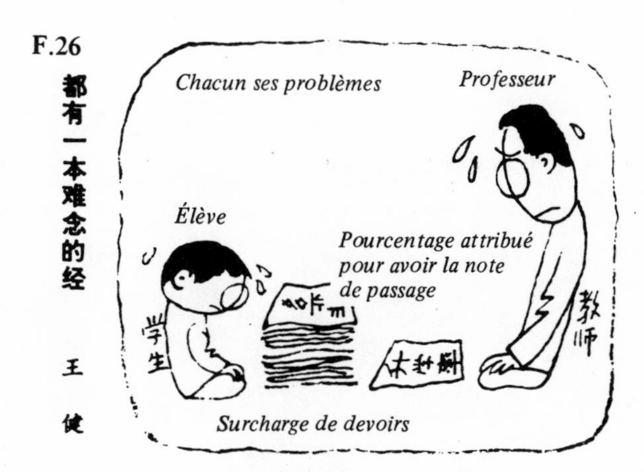

L'enfant unique est soumis par ses parents à une intense pression pour qu'il réussisse dans ses études[1]. (F.26, F.27)

F.27

Les exigences des parents sont condamnées par la presse chinoise, qui publie des lettres dans lesquelles des enfants se plaignent des durs traitements que leur infligent leurs parents déçus par leurs notes scolaires[2].

---

[1] La Maison d'édition chinoise de livres pour enfants s'est déclarée surprise du succès des traductions du *Vilain Petit Canard* de Hans Christian Andersen et du *Prince heureux* d'Oscar Wilde, publiées dans sa série des «Trésors littéraires» à l'intention des enfants d'âge préscolaire, car «de nombreux parents bourrent leurs enfants d'arithmétique et de physique, en espérant qu'ils entrent dans les grandes écoles primaires.» (1er juill.)

[2] Par exemple, une institutrice «découvrit qu'un de ses élèves . . . était triste et taciturne» après un examen d'arithmétique. «Elle apprit d'un autre élève qui habitait près de chez lui . . . que son père le battait et l'injuriait souvent à cause de ses mauvaises notes.» Cette fois, l'élève n'avait obtenu que 42 à l'examen et «était convaincu que son père le battrait encore. Aussi, il mentit à son père en lui disant que l'institutrice ne lui avait pas révélé la note qu'il avait obtenue.» Ce cas fut résolu par un programme de coopération entre le père, l'institutrice et l'enfant, mais il illustre le milieu scolaire dans lequel les enfants évoluent. (*Femmes de Chine*, juin 1984, p. 2)

L'enfant est accablé par les travaux scolaires. (F.28, F.29)

F.28

爱 乎 *Surcharge de travaux* 岛 张 纲

F.29

Examen demain 明天要测验

Même Né Zha, jeune surhomme mythique à trois têtes, à six bras, et à deux roues, tient difficilement le coup. (F.30)

F.30

哪吒败阵 *Débordé* 范其枝

F.31

En général, la société impose des normes sévères aux enfants. (F.31, F.32)

F.32

Certains réalisateurs demandent aux enfants de jouer comme des adultes

Quelque excessives que puissent être ces exigences, les enfants sont plus libres aujourd'hui que dans la Chine d'avant 1978, que les Chinois caractérisent maintenant comme une ère de contrôle excessif et de régimentation. Selon un dicton populaire, les toilettes étaient le « marché libre » des enfants jusqu'en 1976. À l'école, c'était le seul endroit où ils pouvaient parler et rire à loisir. (15 juill.)

À l'école maternelle, ils devaient faire la queue pour boire de l'eau et se laver les mains, et tout le monde devait commencer à manger en même temps. À présent, on n'exige plus une conformité absolue. Les enfants sont libres de s'adonner aux jeux de leur choix, à l'intérieur ou dehors comme ils le désirent, pendant les récréations. On vise à développer des adultes plus perceptifs, plus mûrs et plus indépendants. Simultanément, on prend des dispositions pour veiller à ce que le nouvel égocentrisme suscité par la politique de l'enfant unique ne compromette pas ce but.

Contrairement à l'ère de la Révolution culturelle, où la conscience politique des jeunes Chinois s'exprima au sein du mouvement des « gardes rouges », la jeunesse d'aujourd'hui reflète l'influence d'une richesse accrue et de nouvelles aspirations. Les jeunes vivent dans un milieu social détendu, que favorise la revue *Jeunesse chinoise*: « Il faut protéger, soutenir et guider les jeunes pour les aider à travailler fort afin de créer une vie meilleure, sans accorder trop d'importance à la largeur des pantalons, à la hauteur des talons et aux styles de coiffure. » Le journal souligne que la Chine ne doit pas revenir à la « pauvreté socialiste » prônée entre 1966 et 1976 par ceux qui « minèrent le nom du socialisme . . . en transformant la population en une mer monotone de bleu et de gris. » (18 nov.)

On se préoccupe de la façon dont les jeunes exercent aujourd'hui leur liberté de choix[1]. (F.33)

F.33

---

[1] Par exemple, la Ligue de la Jeunesse communiste ne compte actuellement que quelques membres et ses réunions sont rares et superficielles. Dans la plupart des régions rurales, la Ligue a disparu. (10 juin) Dans les universités, certains départements éprouvent de la difficulté à attirer les étudiants vers le Parti. (11 juill.)

Par contre, il existe des jeunes qui reflètent le développement moral, intellectuel et physique visé par le gouvernement. (30 nov.) Ils participent aux équipes de bénévoles « au service du peuple » que l'on encourage dans tout le pays depuis quelques années. En décembre 1982, 1 269 équipes de la province du Hangzhou ont aidé 521 vieux couples sans enfant, y compris des malades et des invalides. (12 déc.) Au nombre des initiatives semblables, mentionnons la semaine de formation sociale, organisée en décembre 1983 sous les auspices du Comité central de la Ligue de la Jeunesse communiste et de la Fédération nationale des étudiants chinois « pour élargir les horizons des étudiants et renforcer leurs liens avec les ouvriers. » (12 déc.)

De nos jours, les jeunes Chinois moyens se préoccupent de leur avancement personnel[1]. L'éducation, que la plupart considèrent comme un moyen de réaliser leurs aspirations soulève un immense enthousiasme dans le pays.

La recherche de l'éducation n'est pas entravée par l'insuffisance des installations. (F.34)

F.34

Salle d'étude universitaire

Jusqu'à la fin de la Révolution culturelle, l'accès aux établissements d'enseignement supérieur dépendait du dossier politique des candidats et non de leurs capacités intellectuelles. Les critères d'admission faussaient les normes de l'enseignement. En 1978, on a rétabli les examens d'entrée basés sur les aptitudes intellectuelles. Des millions d'étudiants de toutes les régions du pays s'inscrivent maintenant à ces examens.

F.35

Divers manuels préparatoires aux examens d'entrée

Les guides de préparation aux examens d'admission foisonnent maintenant dans le commerce. (F.35)

---

[1] De nos jours, contrairement aux années d'avant 1978, cette préoccupation est largement influencée dans son expression par le confort matériel accru, par les informations diffusées à la radio et à la télévision sur la prospérité qui règne à l'étranger, ainsi que par l'afflux d'étrangers et de Chinois rentrés d'outre-mer.

Le «Mouvement de Responsabilité» accorde une certaine latitude aux jeunes ruraux qui, jusqu'à présent, étaient pratiquement embrigadés à vie dans leur milieu de travail. Cependant, l'éducation supérieure est la clé de la mobilité légitime.

F.36

飞 了 *Envol, adieu la campagne* 卡凯

De nombreux jeunes ruraux s'efforcent d'entrer dans des établissements d'enseignement supérieur pour se dégager des contraintes de leur situation traditionnelle. (F.36)

F.37

闹 学 *Interruption des études* 陈景和

Par le passé, et dans certaines régions arriérées encore de nos jours, les agriculteurs négligent l'éducation, au détriment de la jeunesse rurale[1]. (F.37)

---

[1] En conséquence du «Mouvement de Responsabilité», les paysans sont plus prospères et ont les moyens de contribuer à l'éducation de leurs enfants, tandis que la mécanisation réduit le nombre d'ouvriers nécessaires aux travaux agricoles. Un agriculteur moderne type, Ma Fuxi, «devait choisir entre laisser son garçon de 13 ans à l'école ou le faire travailler dans son entreprise d'élevage de canards.» Il choisit la première solution après avoir compris que l'élevage des canards, alors prospère, se perfectionnerait encore grâce aux nouvelles «connaissances scientifiques et culturelles.» (17 nov.)

La province du Heilongjiang stipule maintenant que «tout jeune qui n'a pas fait d'études secondaires n'a pas le droit de devenir agriculteur et ne sera pas autorisé à s'établir dans un village.» (*Ibid.*)

Les jeunes ruraux et d'autres jeunes issus de milieux défavorisés, comme les minorités nationales de langue et de coutumes différentes, bénéficient, pour l'admission aux établissements d'enseignement supérieur, de mesures compensatoires destinées à compenser les lacunes de leur formation préparatoire.

Certains bénéficiaires de mesures compensatoires éprouvent des problèmes d'adaptation[1]. (F.38, F.39)

F.38

学 *Apprendre par l'observation des autres*

F.39

Énumérez les 26 lettres de l'alphabet anglais

«Ma copie d'examen»

Le nouvel ordre économique et social de Chine permet aux jeunes de progresser en fonction de leurs capacités, plutôt que de leur orientation politique comme c'était le cas par le passé. On laisse une place à la détente et on favorise davantage la mobilité des emplois et des gens. Toutefois, de nouveaux problèmes sont apparus.

Le plus important est le chômage et la nécessité d'être vigoureusement compétitif pour survivre économiquement. Les déplacements d'ouvriers agricoles à la suite de la mécanisation, la disparition progressive de la politique du Bol de riz en fer, qui n'assure plus désormais le maintien d'emplois au sein de la lignée familiale, la mise en valeur de la productivité, qui élimine la garantie d'emploi pour les diplômés, sont autant de problèmes qui touchent les jeunes. Différents chapitres du présent ouvrage leur sont consacrés. Des facteurs culturels soumis à des influences étrangères suscitent également de nouvelles pressions sociales. L'affaiblissement des liens familiaux, dans une société moderne plus matérialiste, laisse les jeunes quelque peu désorientés et favorise les cas de délinquance.

[1] Un nouvel étudiant décrit quelques incidents survenus pendant sa «première année d'agonie»: par exemple, un étudiant de la campagne déclara fièrement à ses condisciples avoir lu tous les livres de la bibliothèque de sa circonscription. Il fut bien embarrassé en voyant la bibliothèque de l'université; en outre, beaucoup d'étudiants apprenaient par coeur les éléments essentiels des livres que les professeurs résumaient pour eux à l'école, mais «à l'université, ils éprouvent d'abord des difficultés à assimiler l'essentiel des matières. Certains s'efforcent de noter chaque mot que prononce le professeur en classe.» (15 déc.)

Néanmoins, de nombreux jeunes compétents et dynamiques, répartis depuis les grandes villes jusqu'aux régions frontalières, saisissent les occasions qui se présentent de contribuer à une Chine moderne.

Le Congrès national du Peuple, qui s'est réuni en juin 1983, s'est déclaré convaincu que les 250 millions de jeunes Chinois contribueront à l'exécution des tâches fixées par le Congrès, à savoir « accélérer la construction économique et améliorer radicalement l'attitude sociale et la situation financière au cours des cinq prochaines années. » Le secrétaire de la Ligue de la Jeunesse communiste a déclaré au Congrès que « les jeunes Chinois d'aujourd'hui s'acquitteront de ces tâches tout comme les jeunes des années 50 se sont attaqués aux grandes entreprises de construction. Ils iront également travailler là où les conditions sont les plus dures et formeront une équipe de choc dans la « longue marche » vers la construction d'un pays socialiste puissant et moderne. » (22 juin)

F.40 *La maman de maman* *Grand-mère paternelle*

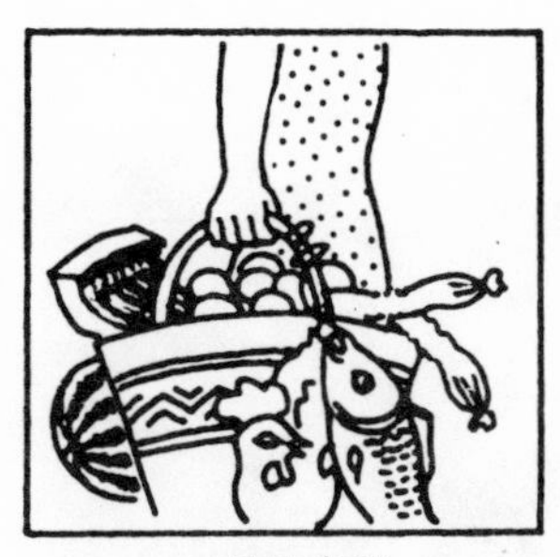

姥姥来了 奶奶来了

妈妈买菜 *Grand-mère va nous visiter* 王金海

Panier à provisions de maman

F.41[1]

蔡振华

Rapports tendus entre épouses et belles-mères. (F.40, F.41)
F.41)

Dans la Chine d'avant 1949, la femme moyenne était considérée comme citoyenne de deuxième classe. La situation des jeunes filles et des femmes célibataires était même pire: elles étaient des citoyennes de troisième classe et traitées comme des biens qu'on pouvait vendre en cas de besoin. Une fois mariée, la femme allait habiter au domicile de ses nouveaux parents pour y travailler et était entièrement à la merci de la belle-mère, qui jouait un rôle important dans la famille[2].

Les attitudes sociales et les circonstances économiques nouvelles ont donné à la femme moderne un sentiment d'indépendance par rapport à sa belle-mère. De nombreux comités de quartier ont établi des groupes où les belles-mères échangent des idées sur les bonnes relations avec les brus. Le chef d'un tel groupe à Beijing explique que «les problèmes relatifs aux belles-mères inquiètent de nombreux conseillers de comité de quartier, car, de nos jours, les jeunes femmes sont instruites et indépendantes . . . elles ont abandonné les attitudes traditionnelles (de respect) à l'égard de leurs belles-mères.» (30 août)

---

[1] Soupe aux poissons pour la belle-mère; rôti de porc, poulet, etc, pour la mère.

[2] En 1983, au cours d'une campagne de publicité d'un mois organisée par la Fédération des femmes de la province du Jiangxi sur «la protection des droits légitimes des femmes et des enfants», il a été prouvé que, dans les régions rurales, certaines belles-mères dominent encore leurs brus. Dans un cas cité, par exemple, une veuve révéla que «ses beaux-parents l'avaient empêchée de se remarier de crainte qu'elle ne prenne possession des trois pièces où elle avait vécu avec son mari.» Les organisateurs réussirent à faire valoir ses droits aux termes du Droit du mariage, en vertu duquel «maris et épouses héritent l'un de l'autre.» Avant la fin de la campagne, «les belles-mères qui s'étaient mal comportées envers leurs brus reconnurent leurs torts aux réunions de sensibilisation organisées par la Fédération des femmes et certaines s'engagèrent à ne plus recommencer.» (*Femmes de Chine*, avril 1984, p. 13)

F.42

拉大锯，扯大锯　姥姥家坑上唱大戏　　*Les chants de Nounou*　　郭國林

La belle-mère garde les enfants.
(F.42)

La pénurie de logements dans les régions urbaines, ainsi que le niveau de vie plus élevé des citadins, ont fait que la famille nucléaire est maintenant la norme. En outre, les belles-mères préfèrent de plus en plus être autonomes plutôt que d'être tenues de garder leurs petits-enfants. Il arrive parfois que les beaux-parents occupent des logements distincts mais contigus[1]. Dans ce cas, la belle-mère continue à jouer un rôle important dans la famille, surtout pour l'éducation des enfants.

---

[1] Cette formule tend à remplacer la traditionnelle famille étendue dans les régions rurales prospères.

F.43

镜破重圆 *Restauration d'un miroir cassé* 熊国昭

Les comités de quartier jouent un rôle de médiation dans les querelles de ménage[1]. (F.43)

Le nombre de divorces, qui s'élève en moyenne à 400 000 par année, témoigne de l'indépendance des femmes dans la Chine d'aujourd'hui. Une étude des causes de divorce effectuée en 1982 a permis d'en établir deux principales: la vie urbaine et le fait que de plus en plus de paysannes ne se laissent plus brutaliser par leur mari. On a enregistré un nombre record de divorces en 1953, année où les femmes qui avaient été contraintes au mariage avant 1949 purent recouvrer leur liberté en vertu des nouvelles lois établies par la République populaire. (23 juill.)

Dans certains milieux conservateurs, en Chine, on considère le taux élevé des divorces comme le signe d'une tendance à un mode de vie bourgeois. Lei Jieqiong, président de la Fédération nationale des femmes chinoises, explique cependant qu'il s'agit d'un moyen par lequel les femmes s'émancipent des « entraves de la mentalité féodale. » (23 août)

---

1 *Femmes de Chine*, avril 1984, p. 13.

Selon le directeur adjoint de la division civile de la Cour populaire suprême, les principales causes de rupture des mariages d'aujourd'hui sont le machisme et l'intervention de tierces personnes. (23 juill.)

L'intervention de tierces personnes est un problème croissant qui reflète l'abondance, la mobilité et les nouvelles normes sociales. C'est une situation que la vieille génération trouve difficile à aborder. Lors d'une réunion collective des belles-mères dans un comité de quartier de Beijing, une animatrice estimait que « l'entrée d'une tierce personne dans la vie d'un couple » est un problème « qui embarrasse les belles-mères et déroute les animateurs de comités . . . Nous, les animateurs, n'avons pas trouvé de solution au problème. » (30 août) La situation se complique du fait que les épouses modernes émancipées n'acceptent plus les liaisons de leur mari, qui auraient été considérées normales par le passé.

Le bouleversement social entraîné par le taux élevé des divorces semblera un problème moins insurmontable dans quelques années, lorsque les femmes émancipées d'aujourd'hui seront devenues conciliatrices à titre de membres de futurs comités de quartier.

F.44

Nuit mouvementée

不平静的夜　　徐建民

Les femmes ne tolèrent plus passivement le machisme. (F.44)

G. RÉPERCUSSIONS SOCIALES DES INFLUENCES ÉTRANGÈRES

Afin d'accélérer son développement économique après ses années d'isolement relatif, la Chine multiplie ses contacts avec les autres pays depuis 1978, ce qui entraîne la venue de nombreux étrangers sur son sol[1].

G.1

— 哼，崇洋媚外　　徐鹏飞

Bénéficiant de privilèges spéciaux en Chine, beaucoup d'étrangers affichent un train de vie relativement riche qui déplaît à certains Chinois. Par contre, d'autres sont heureux de voir la Chine membre de la communauté internationale. Certains voient dans la présence des étrangers l'occasion de parler la langue étrangère qu'ils étudient. (G.1)

---

[1] Il peut s'agir de représentants de délégations commerciales, politiques ou culturelles, officielles ou non; de professeurs qui enseignent une grande variété de matières, depuis les langues jusqu'à l'administration des entreprises et à la technologie; d'experts étrangers travaillant à des entreprises chinoises ou conjointes; et d'une multitude de touristes qui apportent des devises.

L'augmentation des appareils de radio et de télévision et la présence des étrangers concourent au changement social et culturel. Les dessins humoristiques critiquent certains de ces changements de la façon suivante:

Les talons hauts se portent aux champs. (G.2)

Une réclame pour une crème solaire qui *empêche de bronzer* surplombe des gens qui prennent un bain de soleil sur la plage. (G.3)

Refusant de porter un casque pour ne pas déranger son ondulation permanente, une ouvrière est sans protection en cas d'accident industriel. (G.4)

G.2

足尖舞 *Claquettes* 庸非

G.3

La seule façon de se protéger la peau du soleil

海滨的幽默 *Publicité sur la plage* 马瑞洁

G.4

烦恼皆因强出头 *Des ennuis en perspective* 白水 明德

Au cours du Grand Bond en avant de 1955, on encourageait dans les villes les présentations de collections de mode pour renforcer l'idée d'une marche vers un avenir nouveau et brillant pour la Chine. Citadins et intellectuels s'épanouirent grâce à la campagne des « Cent Fleurs » jusqu'en 1957, puis la catastrophe économique fut évitée de justesse grâce à des correctifs économiques et sociaux. Le mode de vie qui encourageait la haute couture perdit de la faveur, et les « excès » furent critiqués. Avec la nouvelle vague de prospérité, la haute couture est revenue à la mode.

G.5

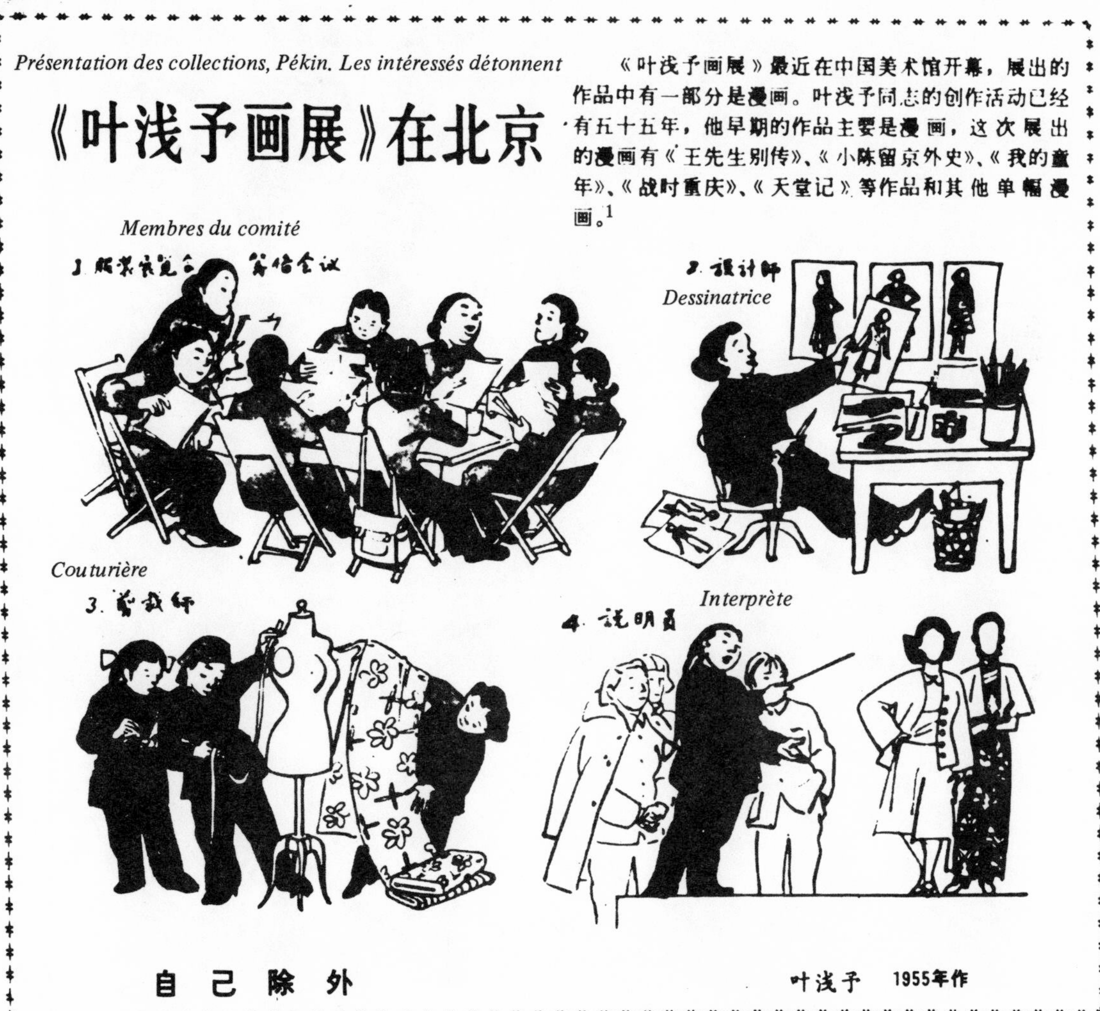

Reproduction 1982 d'une caricature sur la présentation des collections 1955 de Ye Chien-Yu à Beijing. (G.5)

---

[1] Traduction: « Une exposition des oeuvres de l'artiste d'expérience Yeh Chien-Yu a lieu au Pavillon des Arts de Chine . . . Le camarade Yeh compte 55 ans d'activité artistique . . . » En 1955, la nouvelle mode n'était pas pour tout le monde. Noter le contraste entre les vêtements présentés et la tenue « à l'ancienne » de l'artiste elle-même, des membres de son comité et de ses employées.

Exemple d'une tendance moderne de la mode[1]. (G.6)

G.6

Un coriace

Il exhibe son tee-shirt américain même par temps froid

On discute beaucoup en Chine des avantages et des inconvénients relatifs de la mode occidentale[2]. Les défenseurs de la nouvelle mode font valoir que la « tunique Mao », maintenant acceptée comme normale, n'est pas une création chinoise, mais a été importée de l'Ouest comme uniforme après la Révolution de 1911. (10 juin)

---

[1] La demande de T-shirts est si forte que des manoeuvres frauduleuses dans la distribution ont entraîné une pénurie dans les magasins d'État malgré une augmentation de 40 p. 100 de la production, qui a atteint 9,5 millions d'unités au cours des cinq premiers mois de 1983. (6 juin)

[2] La mode occidentale se répand considérablement. «On a vu arriver cet été (1983) un grand choix de nouveaux vêtements pour dame: robes de nylon, robes de soie aux décorations élégantes, jupes de coupe diverse et robes ajustées à col montant et jupe fendue, populaires en Chine avant la Révolution culturelle . . . même les jeunes hommes portent des chemises à pois, sous les regards parfois désapprobateurs de leurs aînés qui les considèrent comme trop occidentalisés.» (16 juin)

Les «modèles uniformes et les couleurs ternes» font place à une mode «fantaisiste qui sort de l'ombre.» (11 oct.)

Les jeans et les pantalons à pattes d'éléphant sont souvent associés à des éléments marginaux douteux de la société. (G.7)[1]

G:7

Film: Le gardien des chevaux

«*Pas d'accord*»

D'après certains dessinateurs, il n'y a aucune raison d'empêcher les jeunes de porter jeans et jupes de couleur, mais les vêtements qui découvrent le buste, le dos et les épaules ne conviennent pas à la mentalité chinoise. Jeans et pantalons à pattes d'éléphant sont considérés comme exotiques, mais on défend le « droit des jeunes de les porter afin d'exprimer leur audace dans l'expérimentation de la vie. » (11 oct.)

1 Le film *Gardien de chevaux* dont parle le couple raconte l'histoire d'un jeune homme de la ville, Chu, qui est envoyé aux steppes pour y travailler comme gardien de troupeau après avoir été accusé de déviationnisme de droite durant la Révolution culturelle. Chu est réhabilité après le renversement de la Bande des Quatre et devient instituteur.

Le père de Chu a émigré aux États-Unis 30 ans plus tôt sans attendre la naissance de son fils. Revenu en visite en Chine, il tente sans succès d'inciter Chu à venir aux États-Unis avec lui. « J'aime mon pays et mon peuple qui m'a soutenu dans l'épreuve », dit Chu. Les personnages de ce dessin ne sont pas du même avis. « Ce Chu est un idiot, déclarent-ils. Il devrait quitter la Chine. »

Les oeuvres littéraires reflètent aussi les influences étrangères.

Une maison d'édition ne publie que trois genres de livres: romans d'amour, western et romans policiers. (G.8)

G.8

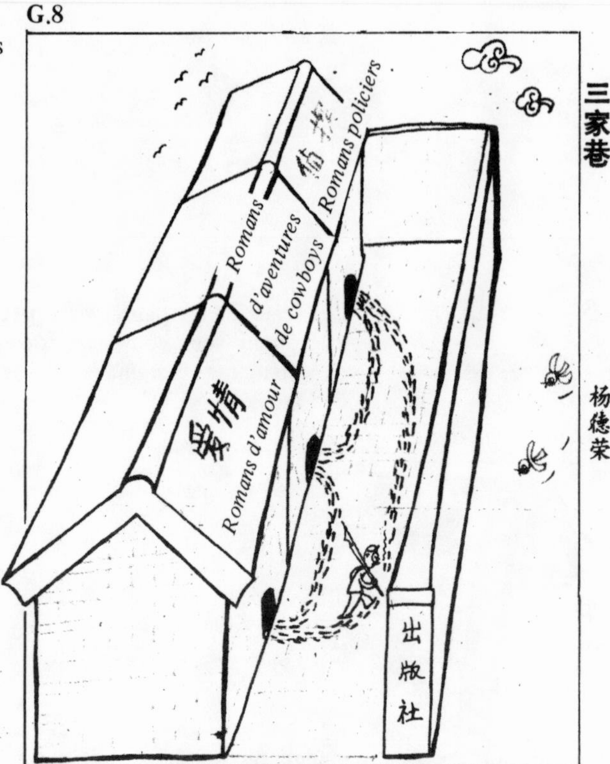

La ruelle des trois familles
(La ruelle représente l'éditeur)

G.9

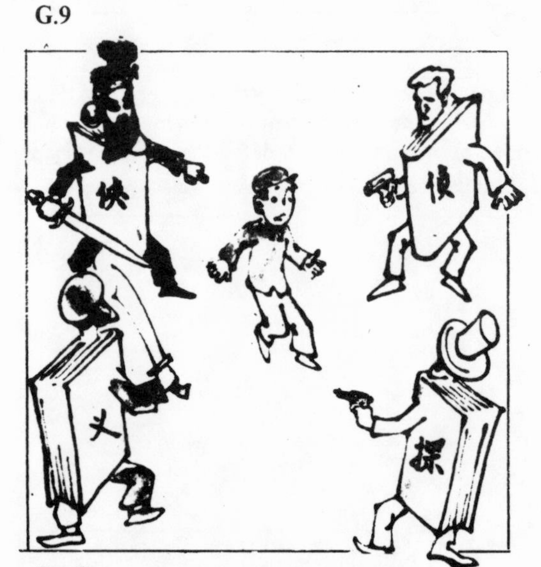

(Bandits: romans western et de Kong-fu)

路 劫 *Banditisme de grand chemin*

Empiètement des thèmes étrangers sur la littérature chinoise. (G.9)

---

[1] La littérature étrangère est bien accueillie en Chine, mais on s'inquiète de sa commercialisation excessive et de la teneur des ouvrages populaires. Le directeur de la Presse commerciale, par exemple, a fait augmenter le nombre de traductions d'oeuvres de penseurs étrangers importants comme Aristote, Locke, Hegel et Paul Samuelson (économiste américain), afin de mettre ces oeuvres à la disposition du public. «Un pays qui se complaît dans la suffisance, explique le directeur, perd la substance nutritive que lui apporteraient les cultures étrangères, et sa propre culture se dessèche et s'ossifie.» (21 juin)

G.10

G.11 *Générique*[1]

副导演
摄影助理
制景助理
制景顾问
剪辑
责任剪辑
助理剪辑
赞助单位

Assistant-réalisateur
Assistant-caméraman
Assistant-machiniste
Conseiller à la mise en scène
Chef monteur
Assistant . .

短片不短 *Les courts métrages sont chose du passé*

Modifications du comportement sous l'effet des influences étrangères. (G.10, G.11, G.12)

G.12 *Essor et chute de la coiffure*

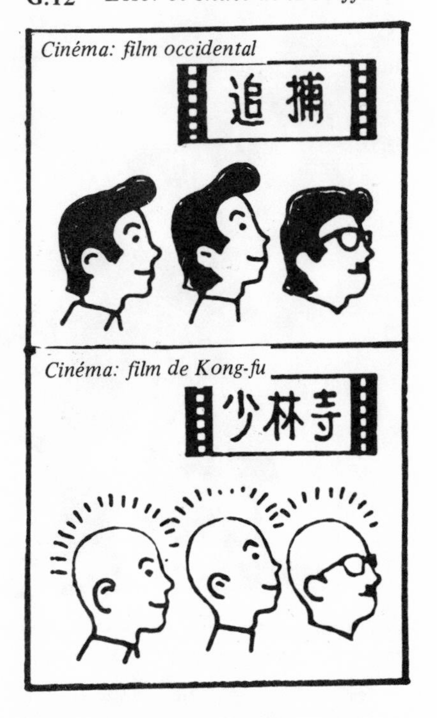

1 Longue liste des producteurs, conseillers, assistants, commanditaires, etc. Autrefois, les génériques des films n'étaient pas si détaillés. Le dessinateur veut ainsi ridiculiser l'imitation excessive.

On peut voir presque tous les jours à Beijing des films roumains, français, anglais, américains, japonais, etc. (G.13)

G.13

报刊漫画选登

Les films de Kong-fu se classent avant les films éducatifs et les films pour enfants

擂台上(原载《电影评介》) 许小铭

« On copie machinalement les recettes des cinéastes étrangers au point d'exhiber des combats de boxe de style exotique et des tendances malsaines pour plaire aux auditoires chinois[1]. »

Les jeunes sont considérés comme les plus sensibles aux influences des médias étrangers. Un chercheur de l'Académie des sciences sociales de la jeunesse chinoise explique: « certains jeunes sont vraiment naïfs. Ils voient quelques films ou lisent quelques romans sur l'influence de l'Occident, et y voient le paradis. » On signale pourtant que ceux qui sont réceptifs à « l'attrait de l'Occident » ne constituent « qu'une minorité ». « Regardez les milliers de groupes d'étude que l'on trouve partout au pays . . . Ces jeunes ne gaspillent pas leur temps et ce sont eux qui représentent l'avenir de notre pays, » déclare l'Académie. (10 juin)

Imitation. (G.14)

G.14

Représentation d'une vieille oeuvre classique

Il n'est pas question de mettre fin à l'importation de films étrangers, mais plutôt de contrôler de près leur contenu. Une conférence conjointe des ministères chinois de la Culture et de la Radio et Télévision déclara en novembre 1983: « Il faut ouvrir à la jeunesse chinoise l'accès aux films étrangers qui mettent en valeur le patriotisme et combattent le féodalisme, ainsi qu'aux adaptations de livres de réputation mondiale, y compris les biographies de personnages historiques, dans la mesure où leur contenu est sain. » (30 nov.)

L'effet social, économique et même politique des films étrangers augmente, à mesure que le cinéma et la télévision se répandent dans les régions éloignées grâce à l'électrification. D'autres facteurs favorisent l'influence étrangère: le grand nombre de traductions d'oeuvres étrangères; l'accessibilité d'éditions d'ouvrages étrangers pour les nombreux Chinois qui s'intéressent maintenant aux langues étrangères[2]; le nombre croissant d'étrangers qui fréquentent toutes les régions du pays; les nombreuses délégations chinoises qui se rendent à l'étranger; les universitaires et les étudiants chinois qui reviennent de voyages d'étude à l'étranger, organisés par le gouvernement ou effectués à titre privé. Le gouvernement observe l'ampleur croissante des influences étrangères et lancera des campagnes de contre-propagande si ces influences viennent à être considérées comme nocives.

---

[1] *Beijing Review*, 14 juill. 1980.

[2] Un grand nombre de jeunes Chinois instruits étudient le japonais, l'anglais et le français comme passe-temps.

H. LA CONTAMINATION CULTURELLE

H.1

Les récits fantaisistes déforment l'histoire et la réalité. (H.1)

Image déformée

失真(原载《河南日报》) 凤 岐

La réalité par rapport aux oeuvres littéraires

On assiste à une « floraison sans précédent de la littérature et des arts» et il se publie des « oeuvres remarquables» depuis la Révolution culturelle en Chine[1]. Deng Xiaoping a sanctionné cette évolution en affirmant: « toute création artistique qui instruit, édifie, divertit et gratifie esthétiquement, qu'il s'agisse d'une oeuvre grande ou petite, sérieuse ou humoristique, lyrique ou philosophique, doit avoir sa place dans le jardin de la littérature et des arts.» (23 nov.)

Cette renaissance des arts s'accompagne de pratiques inacceptables, auxquelles le gouvernement s'oppose dans une campagne de lutte contre la « contamination culturelle». Mentionnons parmi ces pratiques:

« – la pollution de l'esprit des gens par une mentalité, des oeuvres et des spectacles malsains»;
- l'indifférence par rapport au rôle de l'art en tant que serviteur du peuple et du socialisme;
- le manque d'enthousiasme dans la description et l'éloge de l'histoire révolutionnaire et des actes héroïques du Parti et du peuple;
- la description d'aspects tristes de la société, voire la distortion de l'histoire et de la réalité par des récits fantaisistes;
- la diffusion de la pornographie et de la religion.» (4 nov.)

---

1 Après l'instauration de la République populaire, en 1949, toutes les formes d'art furent subordonnées à l'État. L'activité culturelle se limita à la production de slogans, de peintures de scènes de la vie paysanne et ouvrière, à l'embellissement économique et politico-culturel, et à la création de chants et de films révolutionnaires. Cette restriction culturelle culmina durant la Révolution culturelle, et une explosion d'oeuvres littéraires lui succéda.

Les écrivains, artistes, acteurs et cinéastes à qui l'on avait imposé le silence ont maintenant repris leur activité et exploitent des sujets traditionnels ou des thèmes modernes et expérimentaux. Par exemple, un peintre de 67 ans, qui souffrit de la Révolution culturelle, travaille à un programme triennal qui consiste à agrandir des scènes peintes par un maître de la dynastie Song du Nord (960–1127), afin de révéler «la magnificence des édifices, des rues et de la vie quotidienne des villes extérieures et intérieures et des palais impériaux» de l'époque. (18 juin) Zhu Muzhi, ministre chinois de la Culture en 1983, expliqua ainsi ce changement: «Prendre l'idéologie communiste comme noyau central d'une oeuvre d'art, ce n'est pas emplir celle-ci de slogans ou de dogmes vides de sens.» (23 nov.)

Contamination culturelle / Littérature

Après l'effondrement de la Révolution culturelle, les gens lisaient tout ce qu'ils pouvaient trouver[1]. Pour exploiter ce marché, les auteurs produisirent à la hâte une multitude d'oeuvres dont beaucoup étaient de piètre qualité.

H.2

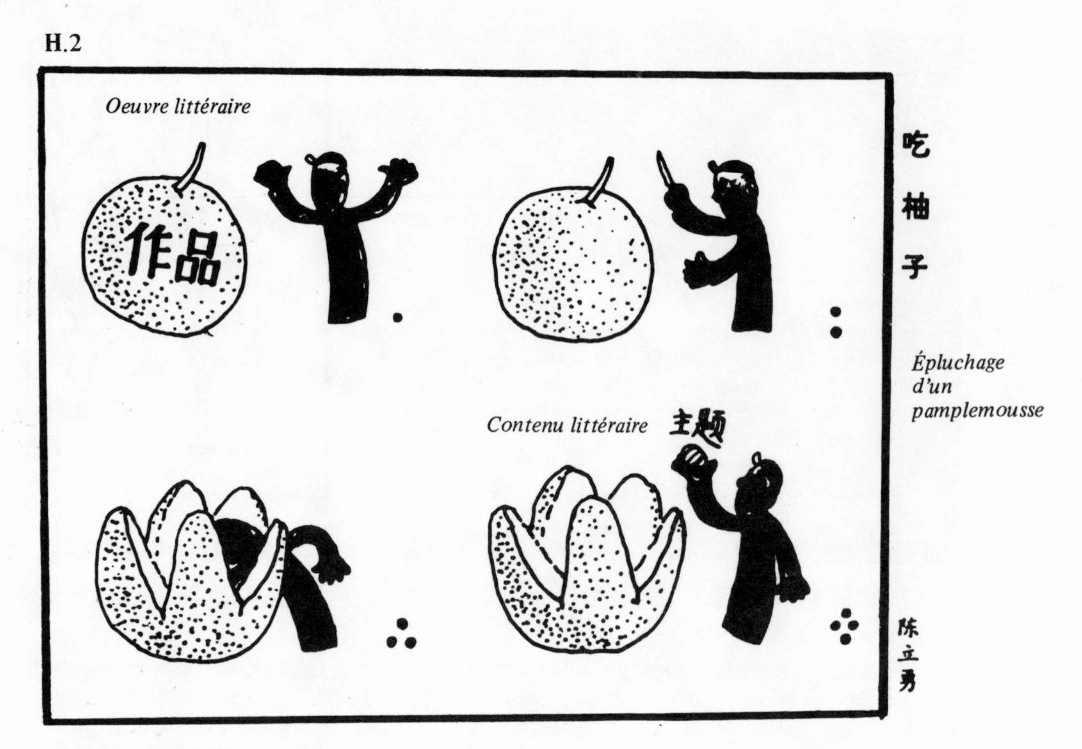

Oeuvre littéraire imposante, mais sans contenu. (H.2)

[1] Les lecteurs deviennent de plus en plus difficiles. Les revues de cinéma et de vulgarisation scientifique, qui furent populaires un temps, sont maintenant considérées comme pleines de répétitions. (9 juill.) Les best-sellers de 1983 reflètent les nouveaux modes de vie des gens et l'amélioration de leur situation économique: *La Floriculture chez soi*, *Guide électro-ménager*, et divers livres de recettes. (11 juill.)

H.3

如此创作 *Écrivain créatif* 杨成志

La « créativité » de certains écrivains se limite à remanier en profondeur la même matière. (H.3)

Exploitation de la forte demande de livres. (H.4)

H.4

"撞　车" *Collision* 顾 朴

Publications en surnombre

Oeuvres que l'on a recyclées pour exploiter le marché au maximum. (H.5, H.6)

H.5

Pots: publications différentes
Contenu: mêmes fleurs

H.6

新瓶装旧酒

Bouteille neuve, vieux vin

刘

Le public s'élève lui aussi contre les abus auxquels se livrent les écrivains. Une librairie, par exemple, offrait trois collections d'oeuvres du même auteur publiées par trois maisons d'édition différentes. Au client qui lui demandait si les trois versions présentaient les mêmes récits, le commis répondit: « Certains sont pareils, certains sont différents. » Le client, confus et s'estimant trompé, écrivit au journal pour se plaindre. (19 nov.)

H.7

天下文章一大抄 *Les copieurs* 王 健

读一些期刊有感

A copie B; B copie C; C copie A, etc.

La tradition chinoise commande aux écrivains comme aux peintres de copier avec respect les maîtres[1], mais, dans certains cas, cette pratique se réduit à un plagiat égoïste. (H.7, H.8, H.9)

H.8

文 一 *Écrivain qui fait le singe*

Vol des fruits aux autres

H.9

Prend des semis dans les oeuvres des autres

移 栽 *Repiquage* 乃 良

---

[1] En ce qui concerne la peinture, par exemple, «le sens de la valeur suprême de la tradition impose à l'artiste le devoir de consacrer au moins une partie de son temps et de son énergie à copier les oeuvres des grands maîtres.» (Michael Sullivan, "The Heritage of Chinese Art". In *The Legacy of China*, sous la direction de Raymond Dawson, Londres, Oxford University Press, 1964, p. 208).

Un article paru dans le *China Daily* mentionne le cas d'un jeune ouvrier qui copia une douzaine de romans et les publia sous son nom. Appréhendé, il expliqua qu'il avait vu là le moyen d'être promu « cadre intellectuel ». (27 août)

H.10

Autres conceptions du plagiat. (H.10, H.11, H.12)

H.11

文坛窃贼 *Vol littéraire* 朱森林

H.12

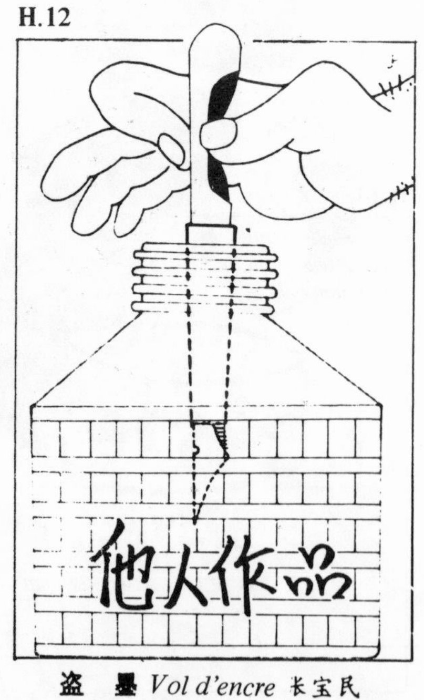

盗 墨 *Vol d'encre* 长宝民

Grandes oeuvres = fricassée d'extraits d'autres écrivains. (H.13)

H.13

Oeuvre de Wong
Oeuvre de Fan
Journal X
Oeuvre de Tzang
Oeuvre de la société X
Revue X
Oeuvre de Li
Oeuvre de Liu

我的大作

Mes chefs-d'oeuvre

八宝饭

Riz préparé: 8 ingrédients

黄远林

H.14

Chaque mot porte les fruits d'un « travail ardu »

On observe maintenant des pratiques professionnelles douteuses chez les journalistes comme chez les auteurs. (H.14)

H.15

La façon de rédiger un article

Recette d'écriture

La Tête (Introduction) – A. Titre
B. Citation
C. Citation

Les Pieds (Conclusion) – E.
F.
G.

Entre les deux (Développement):
- Point de vue de l'auteur
- Points de vue copiés dans des livres
- Au besoin, puiser des idées dans les classiques

Recourir abondamment au collage.

Prendre une demi-journée pour donner un compte rendu sommaire au public. (H.15)

«Le souci exclusif de «mettre la littérature et l'art au service de la politique» a certainement étriqué notre approche et doit être corrigé, mais la divulgation des «secrets intimes du coeur», les banalités personnelles et la rumination des frustrations et des souffrances de l'auteur ne feraient rien pour élargir les perspectives de la littérature et de l'art socialistes.» (14 nov.) Les oeuvres de ce genre sont donc critiquées[1].

H.16 *Buvons tous à la même source*

共饮一江水

Les sujets relatifs à l'amour rapportent des bénéfices commerciaux, mais sont considérés comme particulièrement délétères pour l'esprit des jeunes. (H.16)

---

[1] On s'inquiète tout particulièrement de l'effet de ces oeuvres sur les jeunes. Ce souci n'est d'ailleurs pas nouveau. L'auteur Lu Xun écrivait dans *Lettre de Pékin* (1925): «Ma vie m'appartient, et je peux avancer à grands pas sur le chemin que j'ai choisi . . . Mais lorsque je parle à des jeunes, je fais face à des difficultés. Si je suis un homme aveugle qui monte un cheval aveugle et les entraîne sur un sentier dangereux, alors je pourrais être coupable d'assassiner de nombreuses victimes.» (26 nov.)

Un écrivain faisait remarquer dans le *China Daily* que, alors que les écrivains et les artistes se doivent d'écouter la voix du peuple, certains écrivains établis jugent leur oeuvre au-dessus de la critique. D'autres sont loués malgré leurs graves défauts. Ces écrivains protègent leurs oeuvres « comme des mères insensées qui gâtent leurs enfants au lieu de les corriger. » (19 nov.)

Les critiques irresponsables:
- découragent le talent[1]; (H.17)
- louent avec excès. (H.18)

H.17

Pauvre bru

难为媳妇 江有生

公公：为什么不红烧？
婆婆：为什么不炖鸡汤？
小姑：为什么不炒鸡丁？

H.18

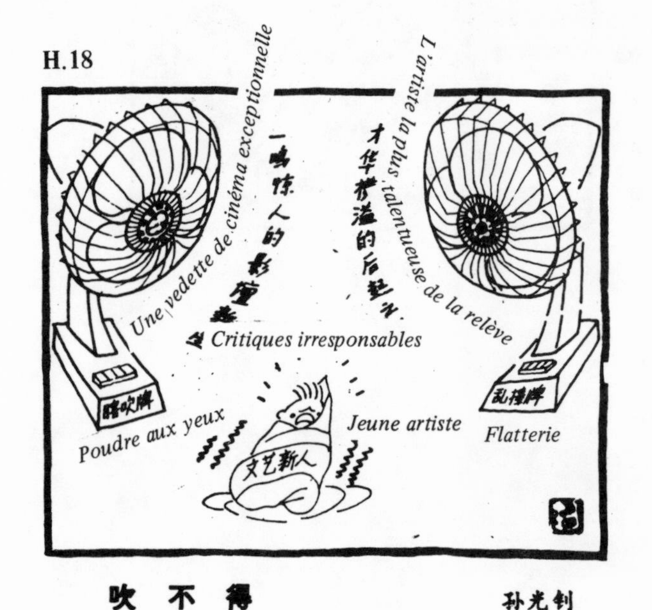

吹不得 孙光钊

Pas trop fort s'il vous plaît

---

[1] Les beaux-parents sont les critiques; le poulet, la production littéraire; la belle-fille, le nouvel écrivain de talent. Le nouvel écrivain découragé par les critiques irresponsables est comparé à l'épouse qui cherche à se faire accepter de ses nouveaux beaux-parents. Voir section F. Famille et société: les belles-mères.

Certains artistes, comme certains écrivains, trahissent la créativité en la subordonnant aux avantages financiers.

H.19

Art recyclé[1]. (H.19)

H.20

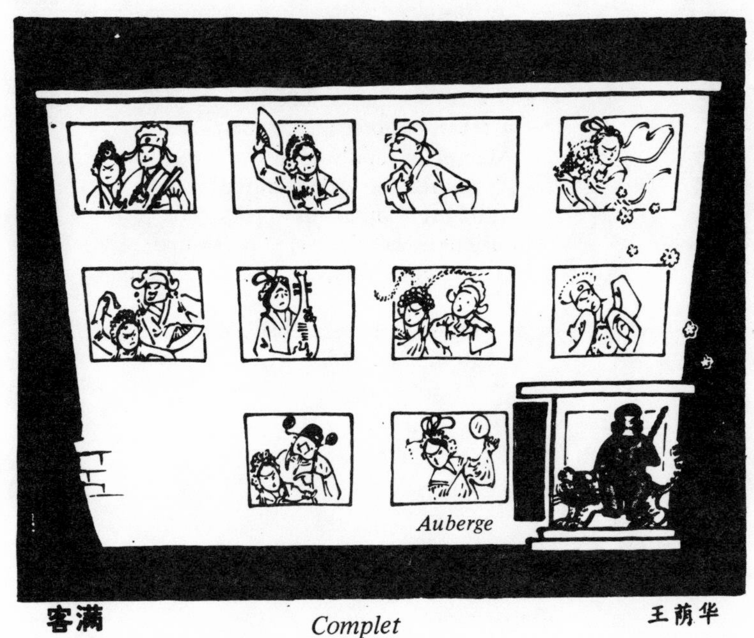

Art gelé[2]. (H.20)

---

[1] «Mes créations» sont des versions remaniées de compositions éprouvées, procédé qui assure le succès financier comme par magie.

[2] Il s'agit des dix estampes publiées par une certaine maison d'édition dans le cahier illustré d'une revue du nouvel an. Ces compositions se vendent bien et il n'est pas permis de les modifier. L'écriteau «complet» indique que les dix places sont occupées. Le tigre condamné à la tringle de fer qui garde l'entrée empêche toute nouvelle composition de pénétrer.

H.21

无需生活，
不用灵感，
大笔一挥，
曲曲弯弯。
要水有水，
要山有山，
立轴画竹，
横幅画兰。
千张一律，
有如翻版。

制不妨粗，
造不怕滥，
快速操作，
机械生产。
敞开供应，
多多益善。
名利双收，
驰骋画坛。
恼煞唐寅，
气死罗丹。

Le peintre-robot[1] (H.21)

Point besoin de vie sociale.
  Point besoin d'inspiration.
Il passe son pinceau en zigzag:
  De l'eau? En voici!
  Des montagnes? En voilà!
À traits verticaux, il crée des bambous,
  À traits horizontaux, des orchidées.
Mille feuilles de papier, mêmes images,
  Comme des reproductions.
On peut produire beaucoup,
  Créer n'importe quelle composition,
  Manipuler rapidement,
  Produire en grande quantité,
  Produire toujours plus
Et atteindre la célébrité et la fortune,
Et traverser au galop les milieux artistiques.

M. Tang Yin[2] en serait bien fâché
  et Rodin[3] enragé.

---

[1] D'après la traduction de Li Shengheng du chinois.

[2] Peintre chinois, 1470–1523.

[3] Sculpteur et peintre français, 1840–1917.

Artistes qui n'ont aucune formation et ne sont pas reconnus, mais se présentent comme des experts. (H.22)

H.22

Pas besoin d'aller dans la rue
pas besoin d'étudier
il suffit de mettre deux piles ensemble
Et voilà un artiste !

Soi-disant artistes qui cherchent à éviter les procédés établis. (H.24)

H.24

Est-ce que tous les canards doivent aller sur l'eau ?

Artistes qui cherchent une reconnaissance qu'ils ne méritent pas et s'y complaisent. (H.23)

H.23

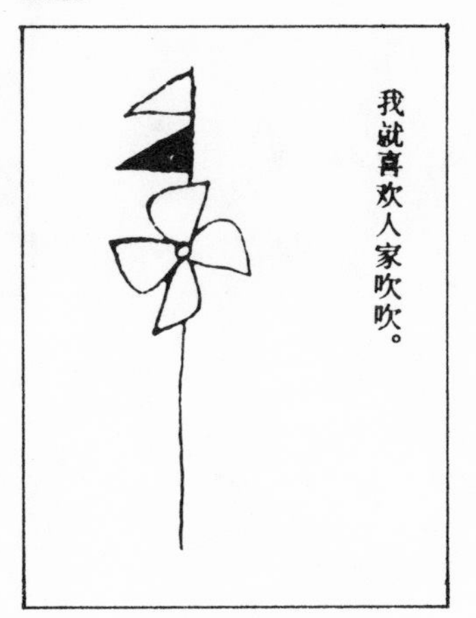

Le vent, ça me connaît !

Artistes qui rompent avec les normes acceptées et tombent dans les abîmes les plus profonds. (H.25)

H.25

« Bâclage ». (H.26)[1]

H.26

"啦 啦" 队 (对某些歌曲的看法) 李满仓

Ce que je pense de certaines chansons

La campagne contre la « pollution culturelle » sera considérée comme réussie dans la mesure où « les écrivains, les artistes et les idéologues, ingénieurs de l'esprit humain, » seront libres d'expérimenter tout en adhérant aux « quatre principes de base:

- voie socialiste;
- direction du parti;
- dictature démocratique du peuple;
- pensée marxiste-léniniste-maoïste. » (4 nov.)

En même temps, le gouvernement indique clairement que le service de la Révolution n'exclut pas la critique constructive. L'écrivain Wang Meng, par exemple, se vit imposer le silence en 1957 parce que son oeuvre était considérée comme « destructrice, anti-Parti et anti-socialiste », mais on le loue maintenant d'avoir dénoncé « les abus de pouvoir, la stupidité au sein de la fonction publique, la folie humaine et la corruption morale[1]. » (7 juill.) Les séries de caricatures présentées dans cet ouvrage attestent également la liberté accordée aux artistes d'exprimer leurs critiques de divers aspects de la société.

---

[1] Cette chanson, « La–la–la . . . », symbolise la médiocrité. On a eu un exemple de « mauvais goût » à un récital organisé par l'association des musées chinois à Tianjin en 1982 pour commémorer le 41e anniversaire du discours qu'avait fait Mao Zedong à Yanan en 1942 à propos des politiques du Parti communiste chinois concernant la littérature et les arts. Le comportement du chanteur qui tenait le premier rôle, « essayant d'imiter les gestes de certains chanteurs étrangers, » reflétait « un relâchement . . . et une tendance malsaine à compter sur l'argent que rapporterait le spectacle. » L'auditoire fut « rebuté et déçu » par ce comportement. Le *China Daily* devait résumer sa réaction: « Le spectacle fut donné sous prétexte de commémorer le discours de Mao, mais en réalité, il répondait seulement à des goûts malsains et a pollué le théâtre. » (14 juill.)

DEUXIÈME PARTIE
LE PROCESSUS DE MODERNISATION
PROBLÈMES

En 1978, la Chine lançait « une campagne de modernisation » qui fut accompagnée de changements sociaux, économiques et politiques, ainsi que d'un accroissement du niveau de vie. Bien qu'aucun de ces changements n'ait renié l'idéologie du pays, ceux-ci ont été caractérisés par des abus dus, en partie, aux défauts de la planification aussi bien qu'aux caprices de la nature humaine. Au moyen de caricatures nous pouvons suivre quelques-uns des problèmes qui, si on ne les contrôle pas, pourraient compromettre les objectifs du gouvernement.

Ces problèmes peuvent se répartir en trois catégories:

1. Tout d'abord l'abus des services collectifs du au manque de probité et de sens civique.
2. La performance individuelle et le système de gestion, y compris la structure bureaucratique.
3. Les problèmes économiques de base: par exemple, ceux touchant le chômage et son impact; le manque de coopération entre les entreprises et les ajustements dans le secteur étranger.

I. ABUS DES SERVICES PUBLICS / SANTÉ

Des soins de santé adéquats sont l'un des objectifs prioritaires de la Chine, mais le système a souffert d'abus[1].

« Mangeant dans la même grande marmite. » (I.1)

I.1

Un malade dans la famille; tous profitent des médicaments gratuits

---

[1] Tous les collégiens, les professeurs et les fonctionnaires, y compris les retraités, ont droit aux allocations médicales gratuites établies à 30 yuan par personne en 1982. Cependant, en 1979, les coûts effectifs, à l'État, étaient de 40 yuan; et en 1981 et 1982, les coûts respectifs étaient de 45 et 50 yuan. Cette surcharge provenait en grande partie de l'usage abusif des fonds de l'État, connu sous l'expression « manger dans la même grande marmite ». Quelques hôpitaux vendaient des aliments et autres produits non médicaux à titre de médicaments. Un hôpital a gagné 52 p. 100 de ses revenus en 1982 en agissant de la sorte. Dans un autre cas, un cadre a dépensé 570 yuan sur les fonds publics en 1982 en achetant des médicaments qu'il a donnés à sa famille – sans avoir jamais été malade. (13 juill.)

I.2

Abus des soins de santé[1]. (I.2)

医院饭馆化 *L'hôpital-restaurant* 徐振明

肉桂、参茸、虎骨酒……来啦

(Infirmière apportant toutes sortes de gâteries au patient)

---

[1] Un rapport signale: «des malades affectés par une maladie des pieds obtiennent des chaussettes spéciales pour guérir et prévenir le «pied d'athlète». Depuis que cette prescription est faite, le nombre de malades souffrant de «pied d'athlète» a augmenté en même temps que le budget de l'hôpital et les primes des employés.» Et le rapport continue: «certains hôpitaux proposent maintent dans la même veine une pâte dentifrice médicale! Si cette tendance ne s'arrête pas, il y aura probablement «des vestes médicales» pour les maladies de la peau, des «chapeaux médicaux» pour le cuir chevelu et des «pantalons médicaux» pour l'arthrite. Si ceci se produisait la «grande marmite» deviendrait la «grande fosse».» (27 août)

Un nouveau système a été mis en place en 1983, en vertu duquel chaque hôpital se voit allouer une somme pour chaque malade. S'il dépense moins, le malade garde la différence. S'il dépasse la limite, il faut payer l'excédent. (13 juill.)

D'autres abus dans le système d'administration de la santé. (I.3, I.4)

I.3

Traitement: la collaboration, un tandem thérapeutique

I.4

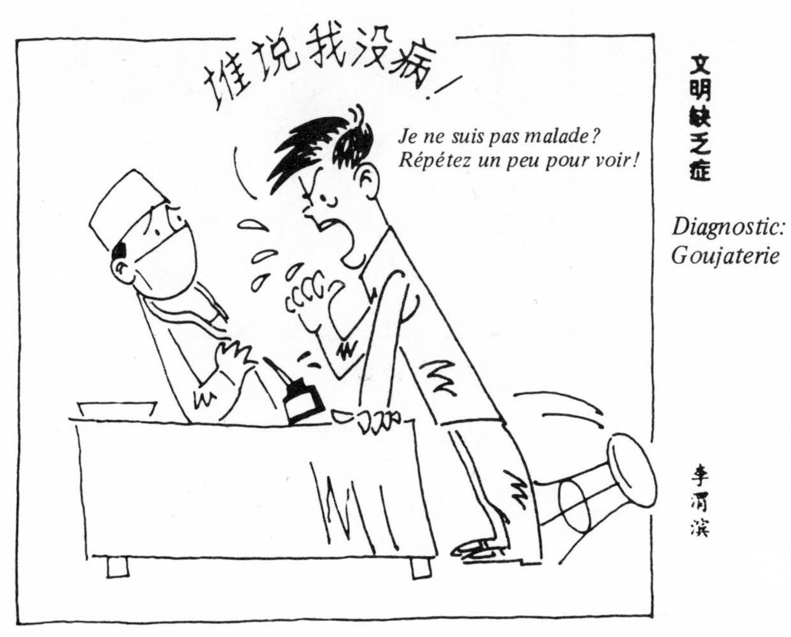

Diagnostic: Goujaterie

Les restaurants sont les premières cibles d'une nouvelle campagne de salubrité. (I.5, I.6, I.7)

I.5

下馆子

青岛 马心

En route pour le restaurant

I.6

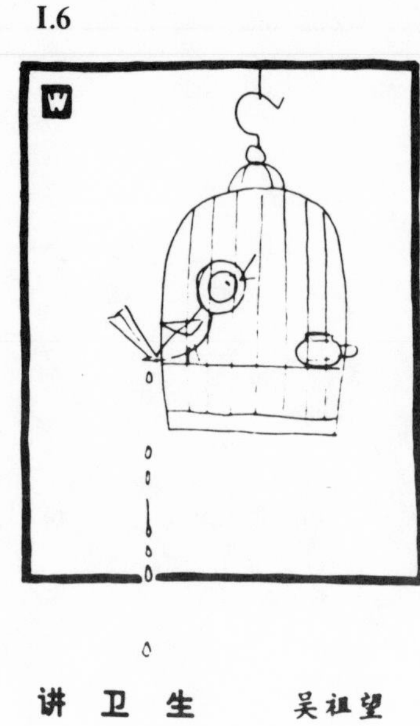

Milieu salubre

I.7

人不留客地留客 阮菘

Accueil sur plancher poisseux

Actuellement, en Chine, on s'efforce d'assurer des conditions d'hygiène plus strictes. Le 1er juillet 1983 sont apparues les premières lois regroupant des mesures antérieures sur l'hygiène alimentaire. Des normes sont maintenant en place à l'égard de l'hygiène alimentaire – additifs, contenants, emballages, fabrication, gestion et surveillance[1].

---

[1] Les normes sont strictement appliquées. À la fin de la première semaine de leur application, 89 épiceries, petits restaurants et entreprises individuelles ont été frappés d'une amende pour conditions insalubres et, la semaine suivante, 26 magasins de ravitaillement et fabriques de produits alimentaires ont été fermés à Guangzhou, jusqu'à ce que les conditions aient été rectifiées. (8–16 juill.)

I.8

Double campagne – « Salubrité et courtoisie » (I.8, I.9)

Qu'est-ce que vous avez à me regarder? Regardez plutôt votre menu!

——看我干什么？看菜单

I.9

L'hygiène publique avant tout

如此讲卫生

Quelle hygiène!

丁聪画　池北偶诗

搞卫生不卫生，
讲文明不文明。
你在吃饭他扫地，
尘土飞扬满餐厅。
一家方便百家愁，
饭菜肮脏地干净。
顾客花钱找罪受，
倒了胃口扫了兴。
如此饭馆实在杀风景！

Quelle hygiène (I.9)

Pas d'hygiène quand
on s'affaire à la salubrité!
Pas de politesse quand
on se targue de courtoisie.
Je suis en train de manger, elle balaie
la poussière dans la salle à manger.

Le plaisir de l'un
fait le malheur des autres.
Les aliments sont souillés,
C'est la revanche d'un plancher nettoyé.
La clientèle paie pour souffrir
perdre l'appétit
et le plaisir de manger.

Quel restaurant!
C'est déplorable.

I.10

Les normes de salubrité ne peuvent être respectées sans que le public lui-même les accepte. (I.10)

——茶杯未消毒，当心得肝炎
——不要紧！我已有肝炎

潘文辉

I.11

——大家别忙了，今天不来检查卫生啦！

赵时铭

Pas la peine de nettoyer.
L'inspecteur ne passera pas aujourd'hui

Cadre irresponsable, complice de travailleurs irresponsables. (I.11)

I.12

L'importance de l'exemple. (I.12)

言传身教 *L'enseignement par l'exemple* 叶

On estime que huit milliards de tonnes d'eau sont gaspillées chaque année en Chine, dont une bonne partie, suite à l'abus qu'on fait des ressources collectives[1].

L'eau à usage ménager est gaspillée. (I.13, I.14)

I.13

Eau gratuite

I.14

Baptême d'une toute petite botte d'oignons

一棵小葱的洗礼

[1] La pénurie d'eau dans quatre grandes villes est telle que la conservation est d'une importance stratégique. «Quelques villes ont été obligées de rationner l'eau, et plusieurs usines ont dû suspendre à plusieurs reprises leur production durant les saisons sèches, pour assurer la disponibilité de l'eau à usage domestique.» (8 oct.) L'usage industriel de l'eau représente à peu près 80 p. 100 de la consommation, mais on en gaspille environ 70 p. 100. (10 oct.) Le gaspillage du côté résidentiel est tel qu'un ressortissant de Hong Kong en visite à Nankin commentait que «c'est un des mérites du socialisme», en voyant l'étendue du gaspillage. (15 juin) (La Chine subvient aux besoins de Hong Kong en eau.)

Des compteurs individuels ont été installés dans les villes pour tenter de réduire la consommation domestique de l'eau[1]. (I.15)

I.15

——你们今天大搞卫生吗？
——不！明天各户装水表！ 赵敬夏

---

1 L'économie en eau a été considérable. Dans un immeuble, 42 familles payaient 90 yuan par mois de taxe d'eau alors que l'État en subventionnait l'usage au coût de 500 yuan par mois. De 1979 à 1982, plus de 50 000 yuan ont été payés en subventions par l'État à la régie des eaux. Chaque famille a maintenant son compteur. Les subventions s'élèvent à 80 yuan par mois. (25 juin) De même, l'usine Optique de Beijing a réalisé des économies, quand des compteurs individuels ont été installés dans les logements de ses 2 400 employés. L'usine payait en moyenne 2 200 yuan par mois pour subventionner les 300 yuan, taux fixe que contribuait chaque famille. Avec l'installation des compteurs, 50 000 tonnes d'eau ont été conservées chaque mois. (16 nov.)

Rappel d'une destruction abusive des arbres dans le passé[1]. (I.16)

I.16

守株待锯

Attente sous l'arbre

Scie

滥伐森林

兰孝生

Au cours des années on a constaté une destruction excessive des arbres, la coupe du bois n'étant contrôlée ni pour le bois de chauffage, ni pour les sites funéraires, ni pour la construction. Une plantation annuelle d'arbres a été amorcée depuis 1978 pour corriger cette situation.

La restauration du patrimoine forestier fait partie du programme de modernisation du pays. Elle vise à la fois l'esthétique, le contrôle de l'érosion des sols et l'exploitation industrielle. Les appareils modernes de cuisine, l'interdiction des sites funéraires privés et les nouveaux matériaux de construction ont contribué à réduire le problème de la destruction des arbres; mais le rappel des gaspillages du passé entretient la conscience publique des abus du passé.

---

1 Cette caricature rappelle la fable chinoise du *Paysan et du lièvre*. Selon l'histoire, une nuit, un paysan était assis sous un arbre quand un lièvre a couru contre l'arbre et s'est cassé le cou. Le paysan a mangé le lièvre et après ça n'a jamais plus travaillé. Chaque jour, il était assis sous l'arbre à attendre un autre lièvre qui passerait par là et assurerait son dîner. Le lièvre n'est jamais venu; le paysan est mort de faim et, depuis, tous les arbres ont été coupés. Dans la caricature le lièvre se moque du paysan attendant avec sa scie que le jeune arbre pousse, de la même manière que le paysan de la fable attendait son dîner.

Le gaspillage de l'électricité est un problème dans les villes[1]. (I.17)

I.17

Ville bien éclairée

L'électricité est maintenant disponible dans toute la Chine mais, comme pour les autres ressources, son usage judicieux est nécessaire pour satisfaire aux besoins industriels et résidentiels.

---

[1] Le dessin montre un paysan nouvellement arrivé en ville. Voyant les lumières dans un immeuble de bureaux, il se presse joyeuse pour arriver à temps. Mais, alors, il est surpris de les trouver fermés et de constater le gaspillage d'électricité dû à toutes ces lumières allumées.

Le vol de la propriété publique sous toutes ses formes est un lourd fardeau pour le trésor public. Ceci est particulièrement grave dans une économie socialiste où les frais de l'usager sont fixés à un niveau minimal subventionné. Plusieurs exemples sont illustrés dans les caricatures ci-dessous.

I.18

On triche sur les billets de chemin de fer[1]. (I.18)

不是游戏　　张新华

Voyons! Il faut jouer le jeu

I.19

无题有感　　金建楚

Achat de tickets

On triche sur les billets d'autobus[2]. (I.19)

---

[1] Un employé des chemins de fer écarte l'inspecteur alors que son wagon est rempli par ses amis et sa famille.

[2] Les passagers doivent acheter des tickets et les remettre à la vendeuse en quittant l'autobus. Les billets sont ensuite détruits et placés dans un contenant spécial. Des passagers empruntent la porte de sortie sans acheter de ticket. Dans l'autobus l'inspecteur fait sa tournée de contrôle et impose des amendes à ceux qui sont sans ticket.

I.20

拣 票 员 *Récupération de tickets* 常 进

On triche sur les indemnités de frais de déplacement[1]. (I.20)

I.21

Des cadeaux comme pots-de-vin pour le supérieur[2]. (I.21)

交 差 *Mission accomplie* 杨成志
——会议精神、土特产都在这里

---

[1] Cadre en mission qui ramasse les tickets usagés pour grossir son compte de dépenses à son retour. Ces tickets auraient dû être placés dans un contenant spécial. (Voir la note 2, dessin I.19)

[2] Le pot-de-vin est offert en reconnaissance d'une mission qui était elle-même accordée comme passe-droit.

I.22

“下一日程是学习黄山松！” 韦启美

Mission d'« étude sur l'esprit du pin ». Le prochain voyage vise à étudier les pins de la montagne jaune[1]

Voyage d'agrément sous prétexte d'une mission d'étude. (I.22)

---

[1] Le pin est le symbole de l'endurance et de la fermeté. La délégation est revenue « pleine d'inspiration » et on est prêt à planifier un voyage à une autre ville pittoresque. Que ces voyages inutiles soient faits à même les fonds publics est le moindre de leurs soucis.

I.23

步话机(原载《工人日报》) 梅逢春

Émetteur radio-cigarette

Quelques fois, des cadres supérieurs se sont servis de « leurs fonctions pour acquérir des objets convoités – comme des ventilateurs, des serviettes, du savon ou des piles électriques[1] ». (17 août) (I.23, I.24)

I.24

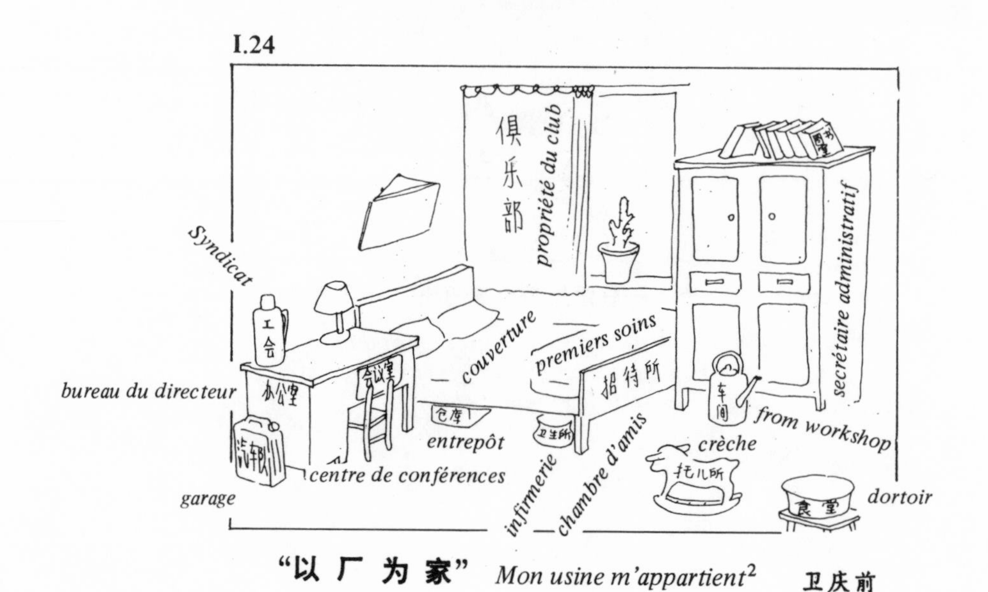

"以 厂 为 家" *Mon usine m'appartient*[2] 卫庆前

---

[1] Ce genre de pratique est sévèrement puni. En 1983, par exemple, deux fonctionnaires d'une province ont reçu des peines de prison de 18 à 20 ans pour avoir acheté des objets de contrebande qu'ils revendaient avec profit au magasin d'État, dont l'un était le directeur. Le partenaire falsifiait les documents de douane ou en établissait de faux. (17 août)

[2] Tout avait été subtilisé dans l'usine.

Un autre aspect du vol des biens de l'État est la complaisance avec laquelle les autres l'acceptent.

I.25

La philosophie d'un quidam

I.26

稻草人看家 孙以增

Épouvantail chargé de la sécurité de l'usine

La philosophie selon laquelle « chacun s'occupe de ses affaires» pour améliorer sa vie suppose le sacrifice des principes du Parti et des intérêts du Peuple.» (17 août) (I.25, I.26, I.27)

I.27

石 狮 *Lion de pierre à la grille d'entrée* 王振民

Abus / Vol de la propriété privée

Le secteur privé et coopératif font des apports importants à la production de l'État. Donc le vol de la propriété privée s'apparente au vol de la propriété de l'État.

I.28[1]

Quelques paysans, ouvriers et cadres qui, selon les principes du Mouvement de Responsabilité[2], se sont évertués à augmenter leur productivité sont la proie des autres, incités par la jalousie, la paresse ou la cupidité. (I.28)

---

[1] Une famille qui a gagné des primes de production est victime du chantage des voisins.

[2] Voir la section A.

Une autre version du vol de la propriété privée. (I.29)

I.29

吃庄稼的老虎 韦启美

Tigre à la poursuite de sa proie

La bureaucratie

Quand la République populaire de Chine a été fondée en 1949, les unités administratives décentralisées furent introduites pour implanter des politiques établies au niveau national. Au cours de ce processus, le nombre de cadres a été considérablement augmenté. L'efficacité des cadres a été le sujet d'un examen minutieux par les supérieurs et les subordonnés et tous ceux à qui l'on reprochait d'être trop exigeants étaient sujets à la critique. Les études politiques obligatoires aidèrent à mettre en lumière le principe de dévouement à son devoir, à la fois pour les cadres, les travailleurs et les paysans.

Depuis 1978, on a donné aux cadres un certain degré d'autonomie, compatible avec l'esprit du Mouvement de Responsabilité. En même temps, la production est devenue un critère d'efficacité, avec une réduction du rôle de la philosophie politique ou du contexte familial, facteurs qui étaient originairement de première importance. Ces bouleversements ont mis en évidence des niveaux très peu satisfaisants de production causés par l'indifférence, l'incompétence, l'arbitraire et les décisions déraisonnables, l'ambition et/ou la soif du gain personnel. Quelques uns de ces caractères sont exposés dans les dessins suivants[1].

Le problème actuel du surnombre des cadres est dû à la politique du Bol de Riz en Fer dans le passé, et à l'inefficacité de la main d'oeuvre et de l'organisation du travail. (J.1)

J.1

五哥放羊 *Cinq bergers pour un mouton*

[1] Les cadres des échelons supérieurs ont été inclus dans cette évaluation. La raison en est que «la clé repose dans les mains des dirigeants». C'est inutile de convoquer une réunion uniquement pour donner des instructions. Avec la bureaucratie, un problème demeure un problème. (28 juillet) Par conséquent, tous les niveaux de cadres sont affectés par les mesures de réorganisation qui sont introduites.

J.2[1]

以十当一

Dix pour un

通子

Le travail se multiplie en proportion du nombre de mains disponibles. (J.2, J.3)

J.3

滚雪球 高世读

Boule de neige

[1] Dix vendeurs pour une chemise.

Pendant la Révolution culturelle, la pratique de l'auto-critique comme celle de la soumission aux critiques des autres ont été portées à l'excès. Dans certains cas, les cadres dirigeants étaient critiqués « à mort ». C'est en partie pour cette raison, mais aussi pour marquer le nouveau libéralisme dans la Chine d'aujourd'hui que la critique comme moyen de rectification est moins employée et, souvent, lorsqu'elle est encore appliquée, se trouve adoucie par certains cadres.

Critique du directeur – se munir d'un extincteur

« Ils ne tiennent pas compte de la critique et se réfèrent encore à des attitudes féodales qui les placent au dessus des reproches. » (J.4, J.5)

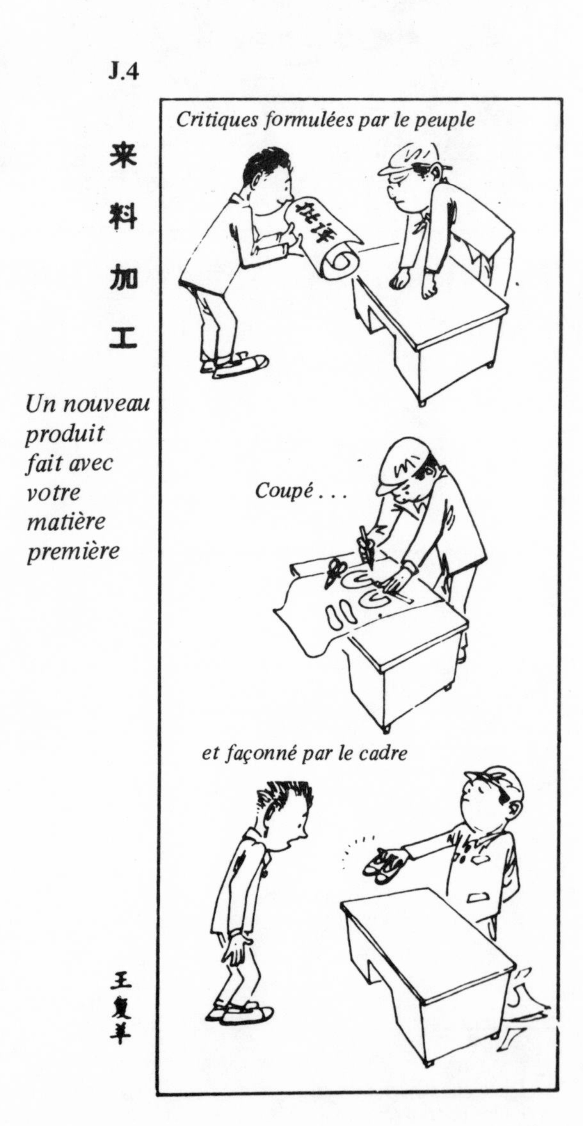

Certains cadres affichent une supériorité vis-à-vis du slogan « servir le Peuple »[1]. (K.6)

J.6

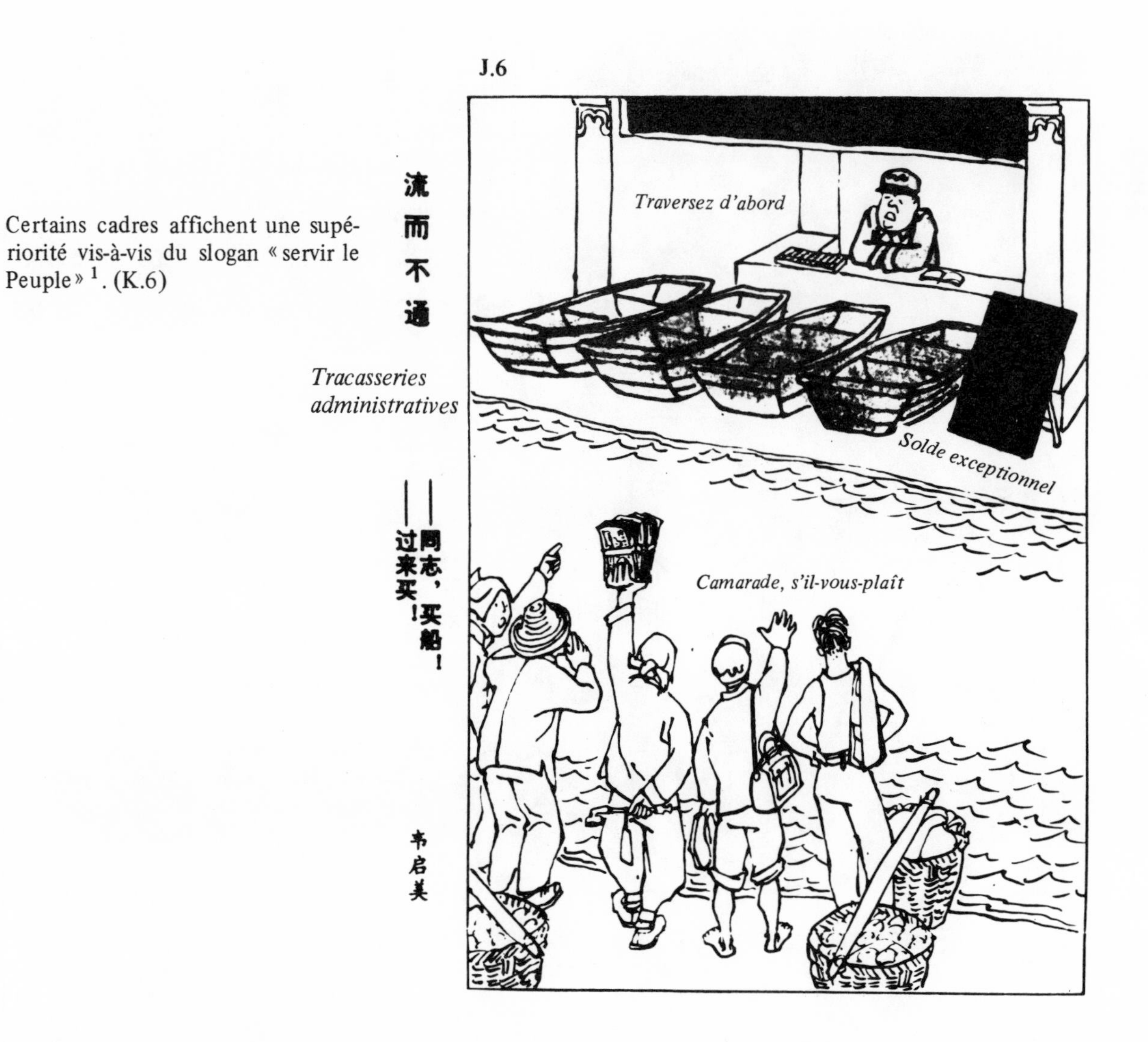

流而不通

Tracasseries administratives

[1] Dans une des régions autonomes, 3 000 mètres cubes de bois, soit une valeur de plus de 240 000 yuan ont été gâchés quand l'administration provinciale a refusé la permission aux travailleurs et aux cadres de la ferme forestière de vendre le bois parce que c'était « une viande grasse trop tentante pour le peuple ». En réalité, les responsables voyaient le bois comme un « symbole de leur pouvoir et non pas comme la propriété de l'État. » (12 nov.)

«Menu pour non-cadre» [1] (J.7)

J.7

厂长不在食堂吃饭了 白维纯

Le patron ne mange plus ici

J.8

À cause de la tradition, le public attend des cadres une attitude distincte de celle des ouvriers et des paysans[2]. (J.8)

---

[1] Dans certains restaurants le menu montre une absence de variété et les prix sont dix fois supérieurs à ce qu'ils devraient être. Si le patron décidait d'y manger, le menu deviendrait plein d'attraits et les prix raisonnables (on se plaint beaucoup de cette situation dans la presse.)

[2] Un article du *China Daily* note que «les airs officiels que l'on constate souvent aujourd'hui ne sont pas apparus d'un coup. Ils ont leur fondement historique et ne disparaîtront pas facilement. Le statut hiérarchique était rigide dans l'ancienne Chine. Sur l'histoire de la Période du Printemps et de l'Automne (722 à 481 av. J.-C.), le classique confucianiste **Gong Yang Zhuan** affirme: «Les chevaux du fils du Ciel, c'est-à-dire l'Empereur, sont appelés dragons, leur taille dépassant 7 pieds. Les chevaux du marquis ont plus de 6 pieds de haut et ceux des dignitaires sont appelés poulains puisqu'ils n'ont guère plus de 5 pieds.» (12 nov.)

Ce qui suit nous montre le comportement que l'on attend aujourd'hui des cadres. «Un camarade dirigeant de la Commission de Discipline du Comité central qui visitait une maison d'hôtes a causé la suspicion des employés de l'endroit. Ceux-ci ont cru que le nouvel arrivant était un imposteur parce qu'il ne ressemblait pas à un cadre de rang élevé dans la plus haute instance du Parti. Il n'avait pas de garde du corps ni d'assistants. Il n'avait pas «l'air» d'un officiel. L'employé était soumis et attentif. Il avait l'habitude de rencontrer des cadres élevés, moyens ou même inférieurs qui avaient tous des «grands airs» Ceux-ci ont un comportement particulier et parlent différemment. Quelquefois, plus le rang est faible et plus les cadres en rajoutent.» (11 nov.)

J.9

病从口入 王立人

La cupidité rend malade
La corruption est un microbe

La tendance à admirer ceux qui sont bien placés entraîne la corruption et l'abus de pouvoir sous des formes et à des niveaux variés. (J.9, J.10)

J.10

进 贡 *Scénario immuable* 冯 笪 杨德林

Cadres corrompus. (J.11, J.12, J.13)

J.12

大 实 话   洁 秋

J.11

冯春生

(a) Crainte d'une accusation
(b) « Encore un cadeau »

J.13

家里事单位办　单位事家里办

周正安（沈阳）

Confusion entre les affaires personnelles et les affaires de bureau

Certains cadres doivent toucher un pot-de-vin avant d'accomplir leur devoir[1]. (J.14)

J.14

—菜足够啦，

——这是主菜，非吃不可！

Le plat de résistance pour terminer

---

1 L'exemple suivant est une autre variante du problème. En 1983, un groupe de cinq électriciens se sont vus offrir des cigarettes et du thé lorsqu'ils vinrent installer une ligne électrique dans une commune, mais ils ont pris leur temps jusqu'à ce qu'on leur serve du poulet et du canard en festin spécial. Ils se sentaient méprisés si le maire ne restait pas avec eux tout le temps. (3 août)

Dans un autre cas, des plombiers d'une compagnie technique extorquaient des paiements pour les réparations des tuyaux et des robinets dans les maisons. Si le travail était terminé plus vite que prévu au moment du paiement initial, ils refusaient de partir avant d'être à nouveau payés. Des plaintes furent déposées contre eux et ils durent rembourser les paiements. (11 août)

J.15

28 juill. 1983

On reproche souvent aux épouses les pratiques inacceptables des cadres supérieurs[1]. (J.15)

J.16

Sans nom (cadre honnête). (J.16)

[1] Voir la page 88.

Parmi les cadres qui font obstacle au progrès, il y a ceux qui considèrent leur travail comme un « moyen » de faire des gains personnels. (J.17)

J.17

装饰壁画 *Ambitions extravagantes* 刁斗明

Certains cadres considèrent leur emploi comme un « fauteuil » confortable pour prendre leurs aises[1]. (J.18, J.19)

J.18

公事电话 *Employés de bureau* 刘渔存

J.19

Nature morte

[1] Un touriste raconte avoir exprimé sa surprise devant la suffisance d'un cadre d'un hôtel de 500 chambres, terminé depuis 18 mois qui demeurait vide. La réponse du cadre avait été « qu'est-ce que ça peut me faire ? Je n'ai pas peur d'être renvoyé ; mon salaire est infime – que quelqu'un d'autre s'occupe du problème ! » (9 juill.)

J.20

下基层

许青天

La base – le gueulard ne voit rien et n'entend rien

Le cadre « grande gueule » improductif est content de lui, sourd et aveugle face aux problèmes et aux idées qui l'entourent. (J.20)

J.21

Le pays et le peuple – ça ne me regarde pas

什么国家大事与我无关!

吃 玩 喝

不问

Demeure en vase clos

不闻

Insensible aux critiques

发育不全 *Enfant difforme* 郝玉华

D'autres voient mais n'ont pas l'ouïe ni la parole. Ils vivent repliés sur eux-mêmes. (J.21)

Certains cadres, au lieu de profiter de l'autonomie qui leur est offerte grâce au Mouvement de Responsabilité, en profitent pour amasser des titres pour leur satisfaction personnelle. (J.22, J.23)

J.22

Une carotte – plusieurs trous

J.23[1]

Je suis le directeur . . . pourquoi n'ai-je pas droit au titre d'ingénieur?

[1] «Auparavant de nombreux administrateurs sans formation professionnelle tiraient gloire de leur manque d'éducation.» (10 août) Il en fut ainsi jusqu'en 1976, période où le fait d'être éduqué vous plaçait automatiquement dans la catégorie suspecte des «intellectuels». «Maintenant ils cherchent plutôt à se baptiser ingénieur, technicien ou économistes.» (5 juill.)

La multiplicité des rôles amène ceux qui ont des titres à l'inefficacité et à la frustration, tandis que ceux qui attendent de l'avancement et qui sont qualifiés se plaignent[1]. (J.24)

J.24

吃 不 消 *Poids trop lourds* 孙以增

[1] Le Secrétaire du Parti et Vice-Président d'un établissement était également Professeur, Chercheur, Directeur, membre du Conseil, Président et Vice-Président. Il avait une douzaine de titres en tout. « Si un professeur n'enseigne pas et si un directeur ne dirige pas, questionne le *China Daily*, et si tous vont à des réunions et demeurent entre eux la plupart du temps, quel sorte d'environnement social sont-ils en mesure de créer? » (9 juill.)

De 1949 à 1976, l'assistance aux réunions était encouragée et de rigueur comme faisant partie du concept idéal de l'engagement national. Des comités étaient créés au niveau local, représentant à la fois, travailleurs, cadres, ouvriers non-qualifiés, retraités, jeunes et vieux, hommes et femmes. Une des conséquences était la perte énorme d'heures de travail due aux arrêts pour ces réunions. Pour réduire cette perte, on a dû limiter l'importance des réunions.

Les réunions ont perdu leur importance comme symbole de participation aux prises de décisions. (J.25)

J.25

China Daily, 19 sept. 1983

Une réunion de délégués

par Ge Jian
reproduit du Dazhong Ribao

J.26

Aux réunions régulières, on finit par tourner en rond

« Déclin » dans l'importance des réunions[1]. (J.26, J.27)

J.27

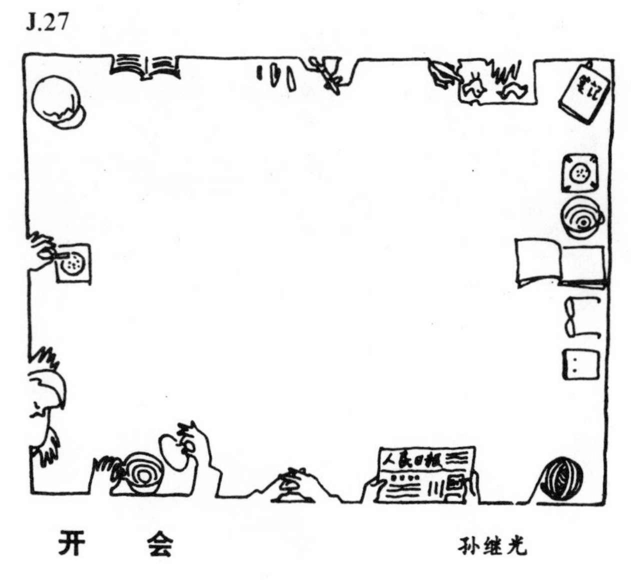

Réunion en cours
Tout le monde s'occupe à autre chose

---

[1] Des ouvriers se sont plaints que leurs réunions étaient devenues des organes de pouvoir « comme des oignons coupés en petites rondelles sur un plat, pour faire beau. » La bureaucratie est tellement hermétique, dit un ouvrier, que « les résolutions ne sont rien d'autre que la répétition des décisions prises par le Comité du Parti ou par les dirigeants de l'entreprise. » En un seul jour et au cours d'une seule réunion, les dirigeants présentèrent cinq rapports et toutes les résolutions furent adoptées. Les ouvriers prétendent qu'ils ont envoyé leur représentants à la réunion uniquement pour qu'ils y lèvent la main. (3 sept.)

L'inefficacité de leur voix amène les délégués à se désintéresser des réunions[1]. (J.28, J.29)

Indications non respectées
(a) Manque d'intérêt
(b) Ajournement

Lecture de rapport

[1] Les dirigeants d'une usine présentèrent un plan de distribution de logements pour qu'il soit approuvé par le Comité. La majorité des représentants des ouvriers refusa de le prendre en considération. Les dirigeants décidèrent alors de le faire approuver par acclamation. (3 sept.)

En 1978 on décida de reconnaître et de stimuler l'initiative individuelle afin d'accroître la productivité. Le système des primes s'est étendu mais les résultats ne donnèrent pas entière satisfaction, comme le montrent les dessins. (J.30, J.31)

J.30

不自动的"售货机" 洪顺海

Distributrice non automatique

L'initiative doit être encouragée. (J.30)

J.31

En général, seuls quelques travailleurs peuvent prétendre à une prime honnête. Ce sont eux qui deviennent ouvriers modèles et par là-même font l'envie de leurs compagnons. (J.31)

Qui a dit que j'avais un visage impassible?

"谁说我没笑脸" 哈笑（沈阳）

Une seule personne a touché une prime

J.32

近朱者赤

哈笑

Travailleur modèle – objet de jalousie[1]. (J.32)

Admirateurs qui rougissent de honte

Un problème auquel de nombreux dirigeants doivent faire face: comment maintenir le moral de l'équipe quand les niveaux de production se valent mais qu'il faut désigner un ou deux bénéficiaires de primes.

J.33

Trop payé[2]

L'accusation de favoritisme, réelle ou imaginaire, apparaît. (J.33)

---

[1] Dans le dessin, le visage, le cou et les yeux en rouge symbolisent la jalousie.

[2] Homme récompensé pour avoir ajouté des pattes au serpent.

J.34

Pétard du Nouvel An
Les pétards symbolisent le trésor public gaspillé en primes de fin d'année

Pour ne pas être accusés de favoritisme, certains dirigeants donnent des primes à tout le monde tant que la productivité est bonne. (J.34)

J.35

Je mange ma prime

Un des inconvénients de donner des primes à tout le monde, c'est qu'un ouvrier peut « manger la prime » et se désintéresser de son travail. Il sera toujours méritant aussi longtemps que ses compagnons travailleront bien. (J.35)

Personnel et gestion / Primes

Certaines entreprises sans aucun dynamisme peuvent gagner de l'argent simplement en fixant des quotas inférieurs et en augmentant ainsi leurs bénéfices, qui pourront être distribués sous forme de primes[1].

D'autres donnent simplement des primes sans justification. (J.36)

J.36

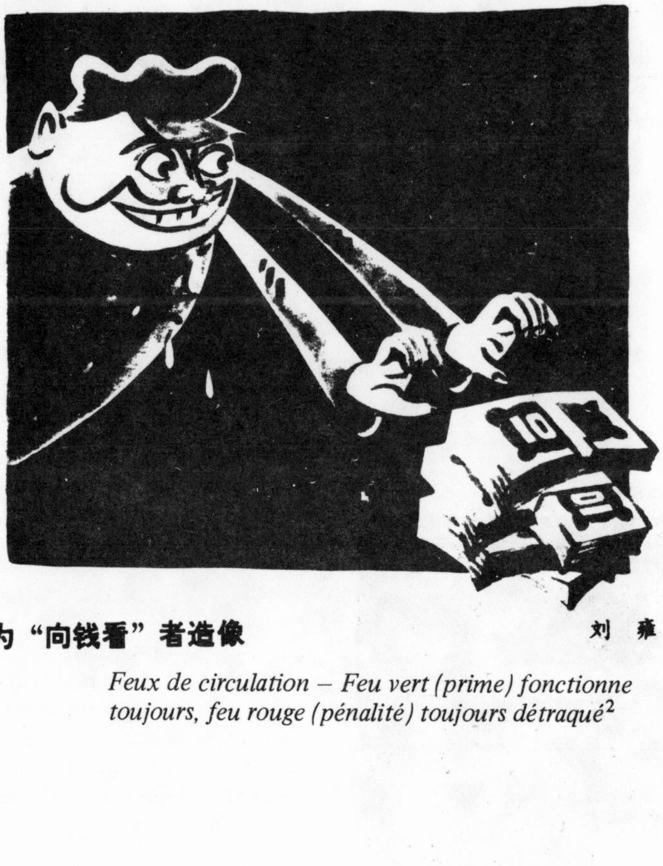

为“向钱看”者造像 刘 痱

Feux de circulation – Feu vert (prime) fonctionne toujours, feu rouge (pénalité) toujours détraqué[2]

---

[1] Une entreprise qui utilisait cette méthode a quadruplé le montant des primes aux employés en trois mois en 1983, alors que les ventes et les bénéfices avaient dépassé par seulement 24 p. 100 et 30 p. 100 ceux de 1982. (7 juillet)

[2] Se traduit mot-à-mot: «un portrait qui projette le regard en avant» (toujours vers une pile de billets de banque).

Le rajeunissement exige des changements dans le comportement comme dans les idées.

On demande aux cadres de participer, de donner l'exemple et non pas simplement de donner des ordres. (J.37)

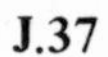

J.37

Le résultat de l'incompétence: la gestion par la dérobade[1]. (J.38, J.39)

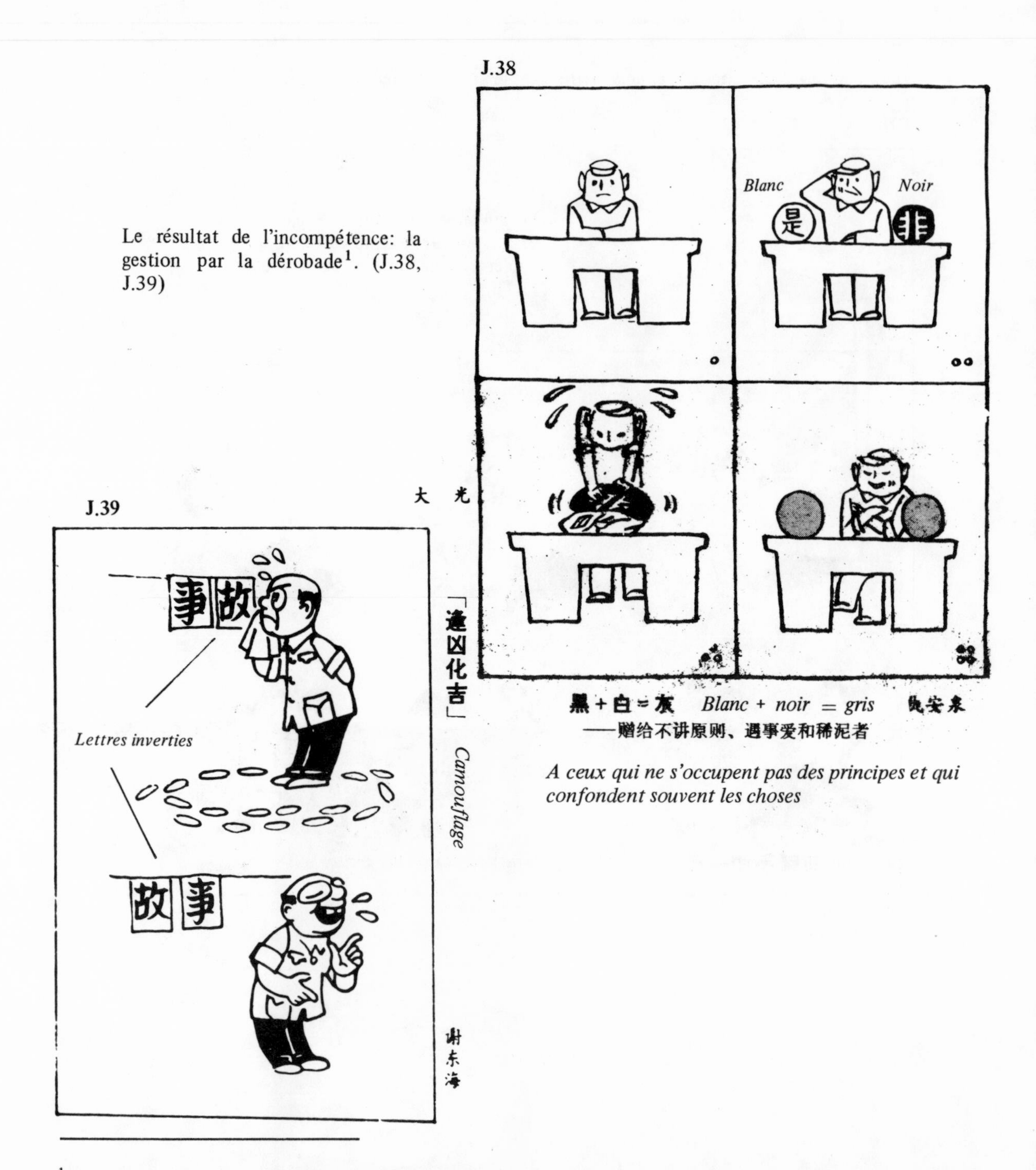

A ceux qui ne s'occupent pas des principes et qui confondent souvent les choses

[1] Certains cadres ont tendance à présenter la situation sous un jour favorable quand ils ont de la difficulté à résoudre un problème. Ils utilisent le mot de Mao Zedong « tourner l'adversité en avantage », alors que pour Mao il s'agissait de corriger des faiblesses et non pas de laisser le problème de côté.

J.40

À son corps défendant
(projet de recherche)

Certains cadres lancent des « projets de recherche nouveaux » au lieu de s'attaquer immédiatement au problème. (J.40)

Leur contribution au processus de modernisation peut être comparée à la tâche impossible qui consisterait « à faire un trou dans une pierre avec des gouttes d'eau. » (J.41)

J.41

滴水穿石法

Le perçage
de la pierre
avec des
gouttes d'eau

孙中道

Chez certains cadres, le niveau des recherches s'apparente à celui requis pour transformer du maïs en popcorn[1]. (J.42)

J.42

爆 米 花 *Maïs soufflé* 王恩华

(Le maïs symbolise les bonnes notes sur le bulletin)

---

[1] Un exemple de la recherche non inventive: l'inventeur est très satisfait de ce qui était pour lui une expérience fort compliquée: transformer le maïs en popcorn.

L'État a proposé des récompenses encourageantes en 1963 mais celles-ci ont disparu pendant la Révolution culturelle. Elles ont été rétablies depuis lors pour stimuler l'invention dans de nombreux domaines comme l'agriculture, l'industrie, la médecine. Quatre cent dix-huit prix ont été décernés en 1982. (16 juill.)

Le rajeunissement entraîne en principe le remplacement des cadres âgés[1].

J.44

Laurel et Hardy: immobiles pour l'amour de la recherche

哼哈二将　八二年六月华君武

J.43

Les modèles que nous produisons – Nous vieillirons ensemble

---

[1] Lors d'un symposium consacré à la réforme de la gestion du personnel en 1983, le ministre du Travail et de la Main-d'oeuvre a décidé « que la stabilité de fonction pour les cadres devrait être abolie et que des normes devraient être introduites pour limiter la durée des fonctions de direction. » (2 nov.)

En 1982, la moyenne d'âge de la retraite pour les cadres moyens était de 60 ans pour les hommes et de 50 ans pour les femmes. Les cadres supérieurs étaient autorisés à demeurer en activité plus longtemps bien que 470 000 vétérans aient été mis à la retraite avec l'introduction du nouveau système en 1982. Ceci représente le sixième des dirigeants du Parti et du gouvernement, ainsi que des employés de bureau qui étaient entrés en fonction en 1949 lors de la fondation de la République populaire. (18 juill.)

Une conception des vieux cadres. (J.45, J.46)

J.45

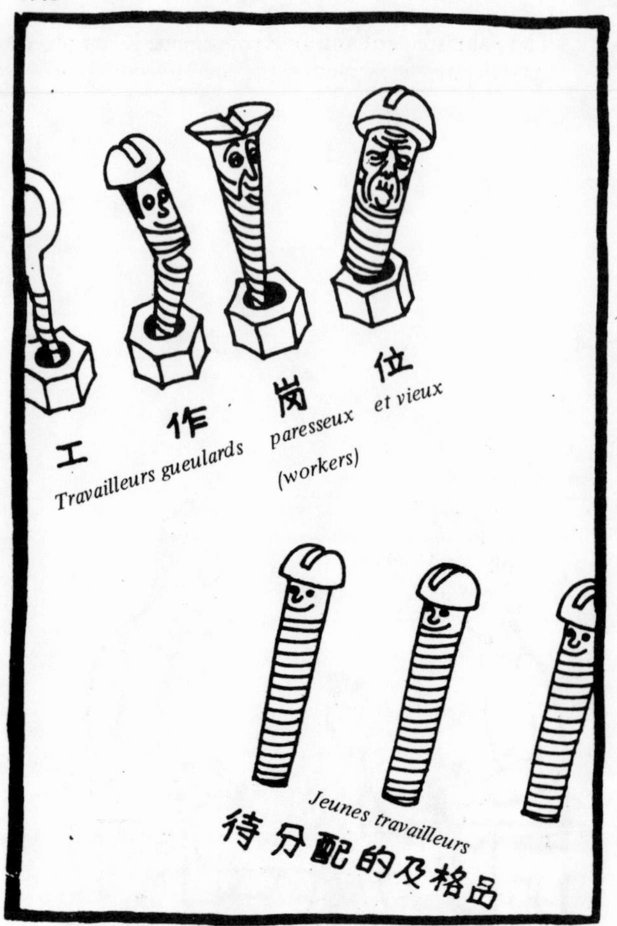

没有起作用的锣丝钉 *Vis inutiles* 江有生

J.46

老放牛（观演出有感） 唐少仪

Constance – Danse sur un air inchangé

Le rajeunissement implique l'encouragement de nouveaux talents.

Condamnation de ceux qui découragent l'initiative. (J.47)

J.47

Critique d'un expert

Un cadre est comme un conducteur d'autobus qui, quand il atteint le bel âge de 60 ans, a une mauvaise vue et met en danger la vie de ses passagers . . . Après un certain âge il doit s'asseoir à côté d'un nouveau conducteur et enseigner à un homme plus jeune comment bien faire son métier. (11 juin)

Il doit laisser sa charge de coeur joie. (J.48)

J.48

扶上马 送一程 王大光

En route, allez-y

Le dynamisme de la jeunesse face à la stabilité de l'âge mûr. (J.49)

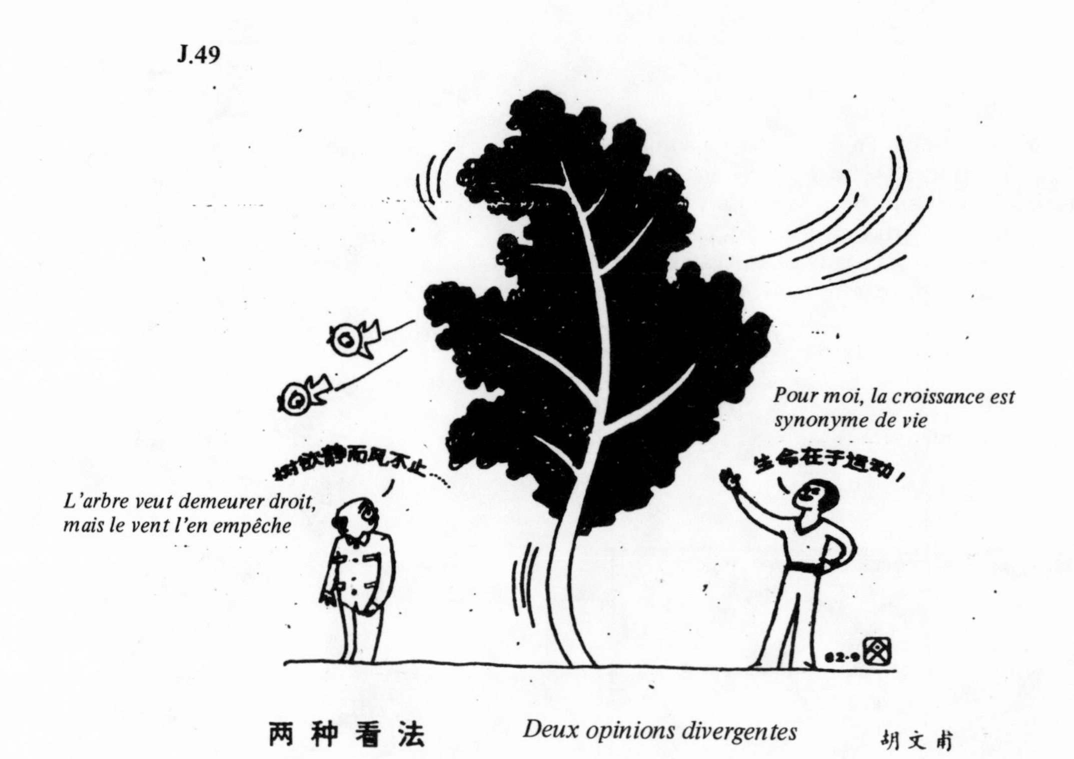

« Comme des vagues qui roulent sur le Fleuve Yangtze», une nouvelle génération de cadres remplace peu à peu les plus âgés dans les principales organisations centrales et provinciales suite aux directives du gouvernement. (28 juin)

Il faut considérer ce mouvement avec prudence de peur que les nouveaux cadres brillants qui apparaissent ne soient surchargés par trop de responsabilités et d'attentes. (J.50)

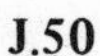

J.50

La nouvelle génération de cadres dynamiques

Une armée dirigée avec compétence est en mesure de vaincre, de la même façon qu'une entreprise bien menée donne de meilleurs résultats. Fort de ce principe on s'est engagé dans un programme de perfectionnement des cadres qui va permettre d'écarter une majorité de dirigeants inefficaces[1]. Les dessins J.51, J.52, J.53 présentent quelques exemples de redressement de mauvaise gestion.

Estomac creux – incapable d'élaborer un plan d'action face à un problème difficile. (J.51)

J.51

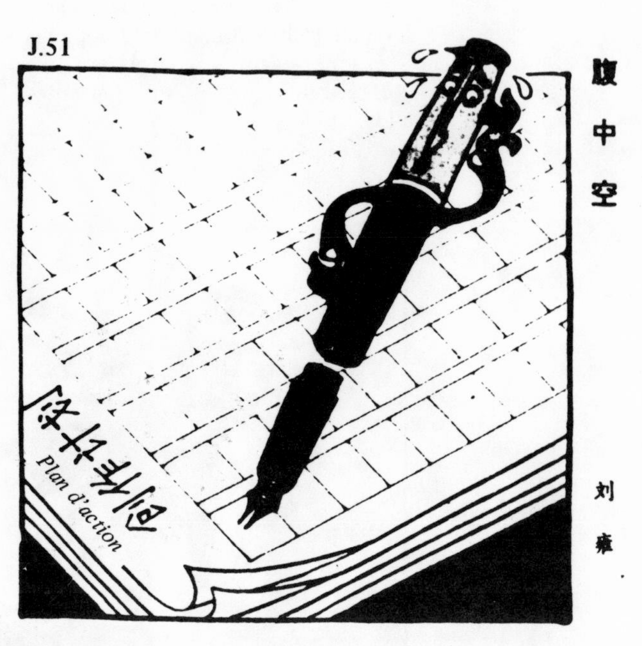

Estomac creux

---

[1] Actuellement, plus de 70 p. 100 des responsables n'ont pas reçu d'éducation supérieure au niveau primaire, alors que 70 p. 100 des ouvriers spécialisés sont au-dessous du niveau de la troisième année primaire. (19 nov.)

Tous les directeurs, les gérants et adjoints seront examinés quant à leur connaissance des «principes et des politiques d'une construction économique efficace et leurs connaissances de base dans la gestion des affaires.» (8 août) Fin 1984, on aura donné en examen 1 000 tests et seuls ceux qui réussiront seront autorisés à conserver leur emploi. (10 août) Les programmes préparés pour les tests ont été élaborés dans des centres spéciaux et, en grande partie, avec l'aide d'experts étrangers en gestion.

Certains cadres évitent des problèmes parce qu'ils ne sont pas en mesure de les résoudre. (J.52, J.53)

J.52

躲迷藏

Cache-cache

袁国镇

J.53

勇挑重担

En congé

王益生

Laissez les problèmes aux autres

Le problème de l'inefficacité résulte d'organismes superflus et de la complexité de la paperasserie[1].

« Handicapé » par l'enchevêtrement des organismes. (J.54)

J.54

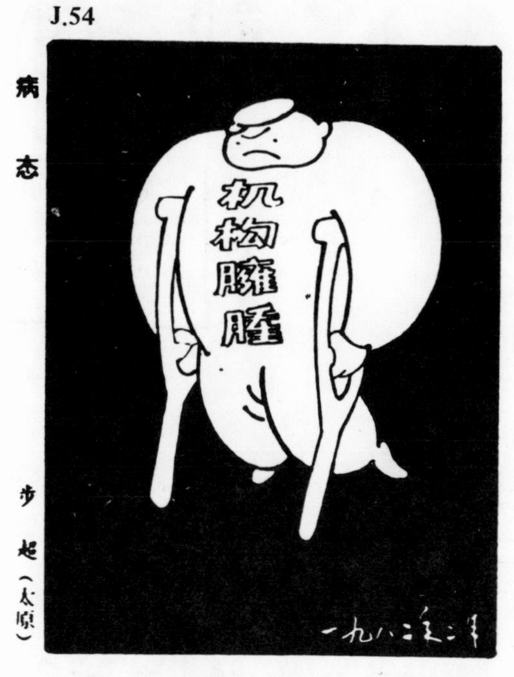

Handicapé

[1] Un employé des chemins de fer, par exemple, écrit à un journal au sujet du manque de sécurité dans sa section. Sa lettre a été aussitôt transmise au Comité provincial du Parti, puis au bureau des chemins de fer qui l'a attribuée à un sous-bureau pour suite à donner. Après neuf mois, la lettre est revenue à son auteur sans qu'aucune action n'ait été entreprise. Celui-ci a changé la date de sa lettre et l'a renvoyée dans le circuit en émettant le voeu qu'une décision soit prise avant qu'elle ne lui parvienne à nouveau. En même temps, il écrivait au journal pour se plaindre de la « jungle » bureaucratique. (9 juill.)

Bureaucratie structurée[1]. (J.56)

J.55

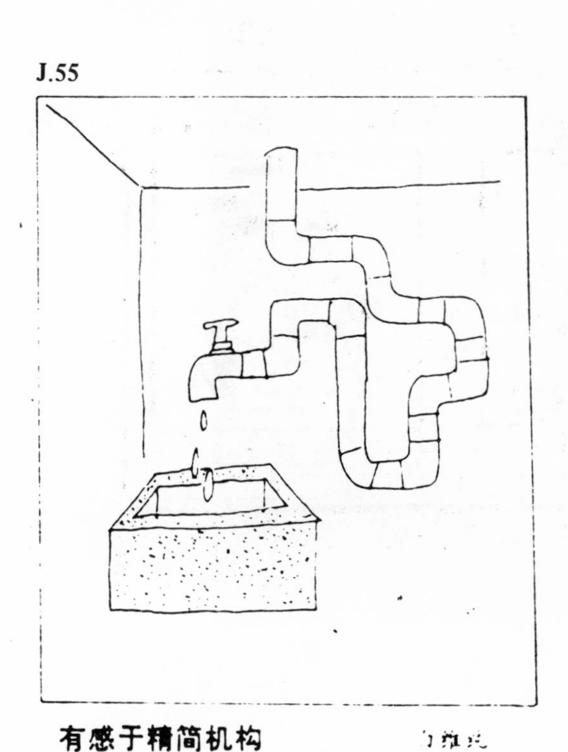

有感于精简机构

Organismes superflus

J.56

排队有术 孙泽良

Façon unique de faire la queue

[1] Remarquez comment la dernière personne dans la queue tient tête à la structure.

La réorganisation a été menée sur deux fronts: l'un mettant de côté le système[1] de l'organisation unitaire qui est considérée comme « trop rigide et stéréotypé », et l'autre changeant les structures pour atteindre une direction mieux coordonnée[2].

Manque de coordination. (J.57)

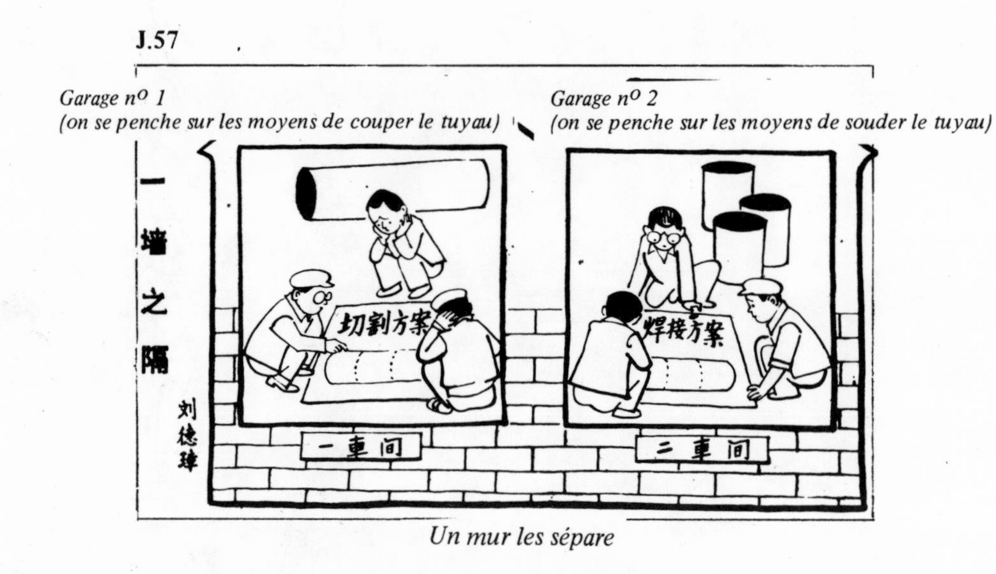

Un mur les sépare

---

[1] Ce système se réfère au même modèle appliqué indifféremment aux travailleurs administratifs, techniques, scientifiques et culturels.

[2] La Corporation Pétro-chimique apporte un exemple de changements de structures. « En 1979 trente-neuf entreprises éparpillées à travers le pays sous différents niveaux de gouvernements, ont été réunies sous l'autorité de trois ministères: le pétrole, la chimie et les textiles. Cependant, l'autorité restait répartie à deux ou trois niveaux, c'est-à-dire le gouvernement central, les provinces et les villes. Ceci entraîna un manque de coordination et de direction avec les différentes cibles de production, différentes valeurs, variétés et qualités. Les moyens de mise en marché étaient confus, l'échange de personnel bloqué et il n'y avait pas de planification pour la recherche et le développement. Les bénéfices dans l'industrie étaient élevés, mais à cause des facteurs de fixation des prix et non pas en tant que résultat économique réel. » (2 août)

En 1983, les entreprises pétro-chimiques furent regroupées en une seule société responsable de la rationalisation de la production et de la souplesse de la politique du personnel, fondée sur la productivité.

On recherche un responsable de la coordination[1]. (J.58)

J.58

割席而坐 *À chacun sa place* 江有生

[1] Exemple de la nécessité d'une direction bien coordonnée: « La Banque . . . recommande à une fabrique de miroirs d'utiliser de l'aluminium au lieu de l'argent. Mais le service financier de la ville refuse d'allouer des crédits pour la modification. La Commission économique de la ville appuie les efforts de la banque pour arrêter la fourniture de nitrate d'argent à la fabrique. Celle-ci est bientôt obligée d'arrêter sa production. Ce n'est que lorsque les autorités provinciales entendirent parler de l'affaire que l'entreprise put lancer son programme de rénovation. » (29 nov.)

Des vérifications régulières sont organisées pour « décider de la promotion, de la mutation ou du renvoi de certains cadres» mais avec le risque que ces décisions soient prises par les cadres eux-mêmes. Les masses sont alors invitées à faire des recommandations pour la promotion des cadres, et aussi à prendre la responsabilité d'évaluer, de surveiller, de muter les cadres qui empêcheraient de quelque manière que ce soit la réalisation des objectifs de l'État et de la poursuite de la modernisation[1]. (2 nov.)

J.59

Certains cadres ne sont pas disposés à se critiquer ou à critiquer leurs collègues. (J.59)

观棋不语

Les spectateurs se taisent

---

[1] Dans le cadre du programme de réoganisation entrepris en 1983, un ouvrier informait le vice-ministre de la Commission économique d'État que certaines entreprises, qui avaient été reconnues comme «entreprises réorganisées» par la Commission, «ne répondaient pas en réalité aux normes.» Certaines, comme il était précisé, étaient très loin des critères fixés. Dans la plupart des cas «le groupe d'examen» cédait à des considérations personnelles dans sa tâche d'évaluation des entreprises. À la suite de cette démarche publiée dans le «Journal des Ouvriers» (Gongren Ribao), les ouvriers furent invités à suivre l'exemple de leur camarade et à surveiller le comportement de leurs cadres. (29 novembre)

« Les cadres du Parti, surtout, devraient savoir que les travailleurs et les masses sont les maîtres du pays, et qu'eux-mêmes sont les serviteurs du peuple. » (30 déc.)

Les ouvriers sont appelés à protéger l'intérêt collectif. (J.60, J.61)

J.60

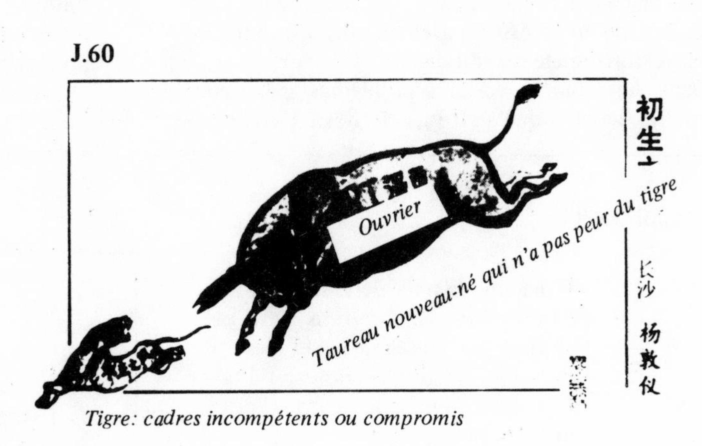

Tigre: cadres incompétents ou compromis

J.61

硬功夫 *Lutte contre la corruption* 王复羊

K. APERÇU DE PLUSIEURS QUESTIONS ÉCONOMIQUES

Toutes les questions évoquées dans ce livre ont une base économique dans la mesure où les modèles habituels de la société, les aspirations, le comportement économique, le niveau de vie, les changements dans les relations sociales, tous sont influencés par le type d'environnement économique – riches ou pauvres, en croissance ou en récession, avec ou sans possibilité de mobilité horizontale ou verticale.

Dans cette partie, certains problèmes spécifiques de nature économique sont mis en avant à travers la panoplie des dessins disponibles. Ils reflètent les préoccupations des Chinois eux-mêmes pendant cette période, c'est-à-dire:

- le colportage illégal
- l'abus de l'esprit du « Mouvement de Responsabilité »
- le manque de coopération et l'ampleur de la publicité compétitive
- le contrôle de la qualité
- les relations économiques internationales.

Le colportage illégal

Dans un district de Shanghai, des colporteurs sans permis ont été chassés ou condamnés, et des ordres ont été donnés pour qu'ils retournent dans leurs villes d'origine[1]. (K.1) (22 juin)

K.1

古城新墙 法生

有些地区搞封建主义经济封锁，本位主义的经营作风。

Vieille cité: murs nouveaux (pour que les colporteurs ne puissent pénétrer dans la ville)

Le commerce individuel a été instauré depuis 1979 pour lutter contre le chômage en croissance, pour encourager l'initiative privée et pour suppléer à la production des entreprises gérées par l'État. La plupart des colporteurs dont le nombre s'est multiplié opèrent tant en milieu urbain qu'en milieu rural. De nombreuses villes ont réprimé ces itinérants, dont le plus grand nombre n'a pas de permis. En 1983, on a envisagé de ne donner à l'avenir que des permis aux jeunes sans emploi, aux chômeurs ayant des difficultés financières dans les villes et aux retraités. (1er juill.)

---

[1] Une autre interprétation du dessin serait une critique de la tendance monopolistique de certaines entreprises établies, qui imposent des contraintes telles qu'il ne reste aucune place à la concurrence (information donnée par des stagiaires chinois).

L'inspection de 2 407 entreprises collectives dans une seule province en 1983 a montré que 1 028 d'entre elles n'avaient pas payé de taxe en ayant recours à plus de 30 méthodes différentes. (K.2)

K.2

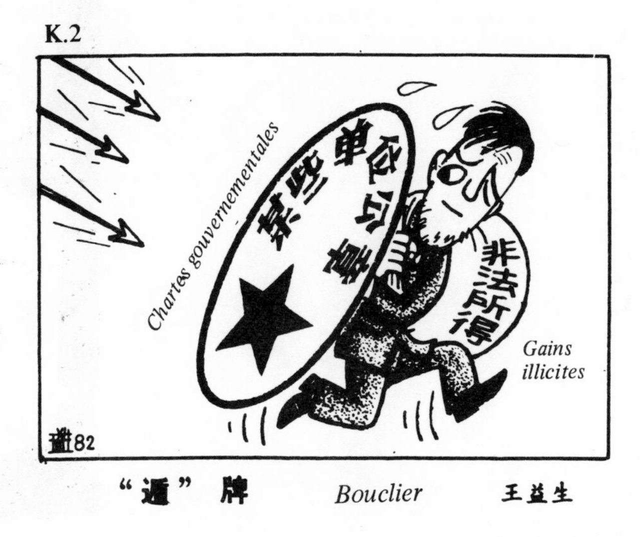

"遁" 牌 *Bouclier* 王益生

L'esprit du «Mouvement de Responsabilité» encourage l'initiative individuelle car il développe un esprit communautaire positif. Cependant ce changement institutionnel pose un problème qui est mis en évidence par l'importance de l'évasion fiscale[1].

---

[1] Le ministère des Finances cite les facteurs suivants qui contribuent à l'évasion fiscale:
- certains gouvernements locaux donnent aux agences des instructions pour réduire, ou même ne pas payer les taxes commerciales, contrairement aux instructions fiscales de l'État;
- on interdit parfois aux percepteurs de taxes l'accès à l'entreprise commerciale ou aux documents nécessaires;
- certains contrevenants attaquent même les percepteurs de taxes et ne sont pas poursuivis en justice;
- les entreprises commerciales ont mis sur pied une foule de moyens pour éviter les taxes. (19 nov.)

Les paysans également trompent le Trésor public. Certains, quand ils vendent à l'État, sont connus «pour mélanger des bons fruits avec les pourris; ils mettent des pierres dans les paniers; ils vendent en grande quantité le grain et les légumes qui ont peu de valeur sur le marché libre, et ils conservent ce qui se vendra bien et cher hors saison. (14 nov.)

Les pratiques de la concurrence entraînent une multiplicité des marques. (K.3)

K.3

Horloge montée par plusieurs fabricants

Après la promotion d'un vaste développement économique en 1978, des coupures sont intervenues dans de nombreuses industries. La conséquence a été une course pour construire des usines dans les secteurs où il existait une pénurie. Il en est résulté un surplus d'usines dans des villes proches l'une de l'autre et la multiplicité des marques de mêmes produits[1].

---

[1] Une autre conséquence fut la demande excessive pour des ressources limitées si bien que la pénurie de matériel dans certains secteurs a forcé des usines à interrompre leur production. Ainsi, on faisait face, d'une part à un surcroît d'usines et, d'autre part, à une surproduction.

Un exemple d'usines en surabondance: dans une commune on a dépensé 4 millions de yuan en 1982 pour construire une fabrique et, en décembre 1983, celle-ci attendait toujours les matériaux nécessaires pour fonctionner. C'était une des nombreuses fabriques qui répondait à une demande accrue de portes métalliques, consécutive au boom de la construction de 1979. Au lieu d'une production planifiée, 150 fabriques de fenêtres s'établirent dans trois cantons voisins mais il n'y avait pas assez de rouleaux d'acier pour répondre à leurs demandes. Cette fabrique a pu échapper à la fermeture et elle a survécu en procédant, sans autorisation, à un programme d'expansion. (*Beijing Review*, no. 50, 12 décembre 1983)

En parallèle avec ces problèmes de surplus de matériel et de produits dus à l'existence d'établissements illégaux[1], les entreprises d'État devaient de plus en plus réaliser des profits. Dans ces conditions, ces dernières firent appel à la publicité pour écouler leurs produits.

Promotion active des produits. (K.4)

K.4

借

光

Mise à contribution d'un réverbère

张兴升

Chaque écriteau fait la publicité d'un produit différent

---

[1] Au fur et à mesure que la demande de biens de consommation se développait avec l'amélioration des conditions économiques, les usines d'État augmentaient la production de bicyclettes, de machines à coudre, de montres-bracelet pour répondre à la demande au cours de 1980. Mais les provinces et les gouvernements locaux mettaient également en place des usines en marge de la planification de l'État. Bientôt les approvisionnements s'accumulèrent car la demande des consommateurs passait aux machines à laver, aux réfrigérateurs et aux ventilateurs. Beaucoup d'usines furent incapables de vendre leurs produits.

La production des piles électriques est un exemple semblable: on estime que la surproduction des piles coûtera à la Chine 150 millions de yuan à la fin de 1984. En 1983, il y avait plus de 210 usines spécialisées produisant 5 milliards de piles par an pour un marché de 3,8 milliards, le reste étant mis au rebut. (9 nov.)

Il y a une telle surabondance de fabriques qui produisent du savon que le surplus de 1983 permettrait de couvrir trois années supplémentaires de consommation. La Banque du Peuple a recommandé (en juillet 1983) de ne pas autoriser les usines d'État à accroître leur production et de fermer les usines locales. (19 juill.)

Publicité « mascarade » mensongère. (K.5)

K.5

不服老 *Masque publicitaire* 朱长清

Publicité « tambour battant » pour un produit insignifiant. (K.6)

K.6

上海外滩小景

Scène du Bund à Shanghai[1]

Lors d'une conférence nationale en juillet 1983, les délégués de 20 grandes villes ont reçu l'ordre de « renforcer leur travail d'inspection de la publicité et de punir ceux qui présenteraient une fausse information au public[2]. » (10 août)

---

[1] Un panneau à Shanghai le long de la rivière Whampou annonçant « les meilleurs restaurants de fruits de mer ».

[2] En 1982, plus de 150 millions de yuan ont été dépensés en publicité. Ceci représente une augmentation de 20 p. 100 par rapport à 1981.

Battage pour des produits de peu de valeur. (K.7)

K.7

Même une plume de poulet peut voler haut

鸡毛能上天　　　郭　忠

Des entrepreneurs font la publicité de leurs produits

Pour augmenter leurs profits certaines entreprises accélèrent la productivité au détriment de la qualité.

Produits de mauvaise qualité[1].
(K.8)

K.8

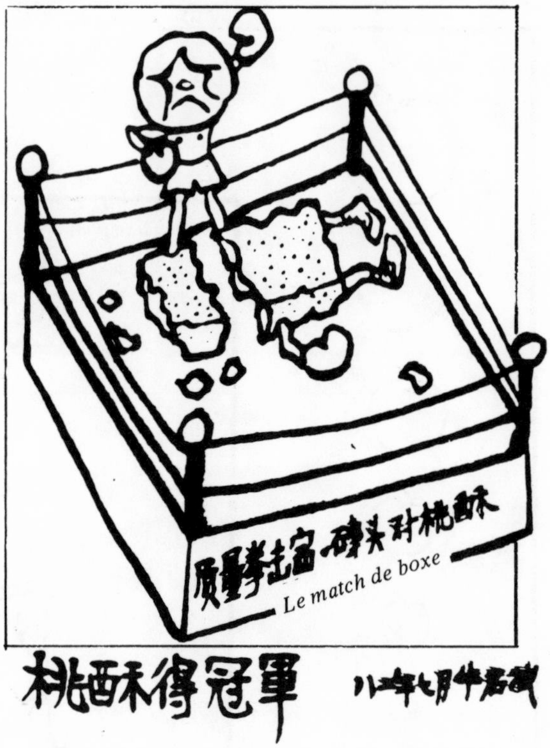

Le match de boxe

Le gâteau démolit la brique

À la Conférence nationale populaire de juin 1983, on a noté que l'accroissement de la production au détriment de la qualité et de la variété des produits ne peut que satisfaire des fins statistiques et des visées politiques. Il faut également noter les conséquences néfastes de telles pratiques; par exemple, l'accumulation des stocks, les marges de bénéfice réduites, un service médiocre à la clientèle et, en particulier, le risque d'une mauvaise réputation des produits chinois sur le marché international[2].

---

[1] Qualité médiocre d'un gâteau aux noix suffisamment dur pour fracasser une brique.

[2] Entre 1980 et 1982, on a estimé à 12 milliards de yuan les pertes du trésor public causées par l'accumulation excessive des stocks résultant d'une mauvaise qualité des produits. (14 nov.)

Il se peut que 20 p. 100 des causes de défectuosités dans la qualité soient dues au laisser aller dans la main-d'oeuvre et dans la gestion des 400 000 entreprises affectées par le problème. Mais, plus encore, la carence reflète des normes industrielles qui, au niveau international, s'apparentent à celles des années '50 et '60. (19 nov.)

Sommairement, on énumère les problèmes suivants. « bas niveau de productivité et mauvaise organisation industrielle; outillage périmé (de 40 à 50 ans) principalement dans l'industrie légère; normes de production datant d'une vingtaine d'années et plus encore en ce qui concerne la consommation d'énergie; gaspillage énorme de main-d'oeuvre, en argent et en matières premières; main-d'oeuvre non-qualifiée volumineuse. » (22 oct.)

La qualité en fonction du destinataire. (K.9)

K.9

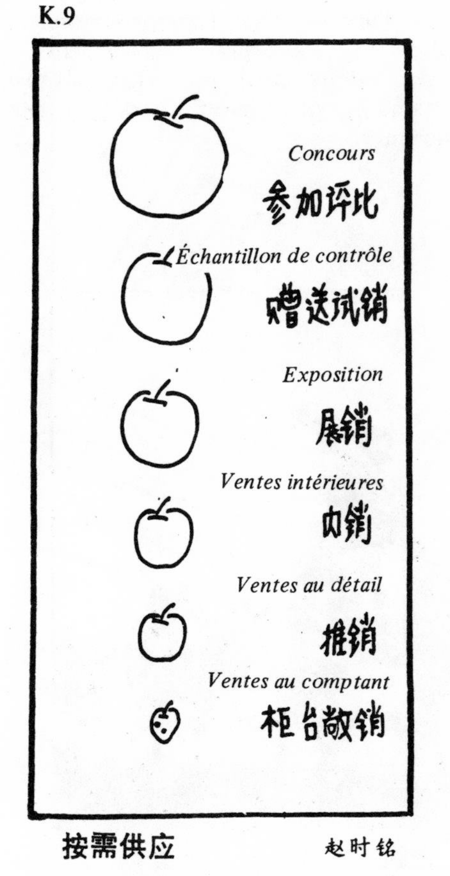

按需供应 赵时铭

L'offre est en fonction de la demande

Le non respect des normes. (K.10)

K.10

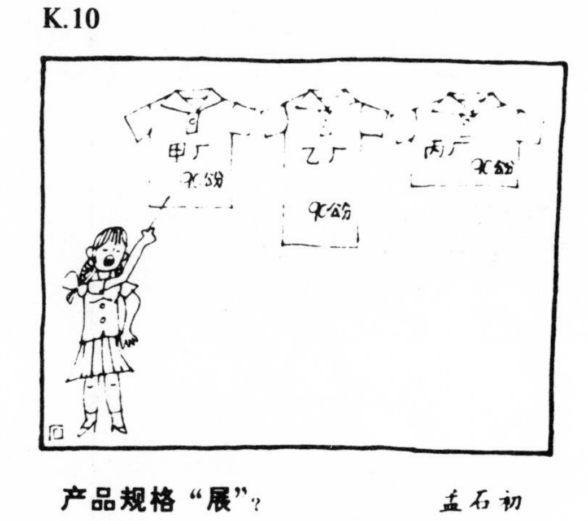

产品规格"展"? 孟石初

Même taille – longueur et largeur suivant l'usine

Des associations de contrôle de la qualité ont été mises en place à travers le pays et leur rôle est considéré comme essentiel pour l'économie. (22 oct.) Elles offrent des cours de contrôle de qualité qui complètent les cours abrégés déjà disponibles[1].

Des progrès importants ont été réalisés. L'usine d'outils de Harbin, par exemple, a installé des machines pour vérifier la qualité et ses produits sont maintenant classés « au second rang après ceux de la Suède et considérés meilleurs que les lames britanniques, japonaises et soviétiques.» Le marché de l'exportation s'est développé et 25 p. 100 de ses produits ont été vendus dans 30 pays en 1983. (2 août)

---

[1] Entre janvier et novembre 1983, 271 220 de ces associations ont été mises en place et comprennent 4 millions de membres. Dans la même période, 56 273 cours ont été suivis par 6,5 millions d'ouvriers et de dirigeants. (4 nov.)

Depuis 1976, la Chine s'est de plus en plus impliquée avec l'étranger dans sa planification économique, contrairement à sa politique antérieure d'orientation isolationniste fondée sur le principe d'auto-suffisance. Dans les débuts, jusqu'en 1981, le trop grand enthousiasme pour l'accélération rapide du développement a entraîné de multiples signatures de contrats avec des entreprises et des gouvernements étrangers. Ceci devait par la suite soulever nombre de problèmes tels le manque de devises étrangères, les goulots d'étranglement dus au manque de coordination des projets, l'absence d'une politique d'approvisionnement, une technologie mal coordonnée et inadéquate. La plupart de ces contrats ont dû être renégociés mais les problèmes qu'ils ont posés subsistent clairement dans les caricatures.

K.11

Des produits dépassés en provenance de pays « amis ». (K.11)

"丝绸之路" 遗风 韦启美

Produits des années 50 fraîchement arrivés
Souvenirs de la route de la soie[1]

---

[1] La route de la soie était la voie terrestre principale utilisée pour les échanges commerciaux entre l'ancienne Chine et les pays occidentaux. (*Beijing Review*, no. 44, 31 octobre 1983)

L'accent a été mis de façon exagérée sur la construction d'usines complètes, en négligeant les équipements nécessaires à celles qui existaient déjà. Les importations étaient ainsi multipliées sans raison[1]. (K.12)

K.12

钻木取火 梅逢春

La préparation du feu
Matériel importé pour des industries domestiques désuètes

---

[1] Par exemple, une usine de pompes pour carburant à Beijing a été mise en route en 1972, mais elle ne fonctionnait toujours pas à la fin de 1983 parce qu'elle était dans l'impossibilité de respecter les normes minimales. Les salaires depuis 1980 étaient prélevés sur les crédits de construction. Entretemps, un vaste programme d'expansion avec du matériel importé, était intervenu pendant que la plupart des 2 300 pièces d'équipement importées demeuraient inutilisées; beaucoup d'entre elles durent être rejetées en raison de la rouille.

« On peut anéantir sa propre industrie électronique avec des importations en provenance de l'étranger[1]. » (K.13)

K.13

L'embouteillage de sa propre entrée

[1] Le ministre de l'Industrie électronique exprimait la politique actuelle de la Chine dans ce domaine dans les termes suivants: « Quelle stratégie et quelle politique de planification technologique devons-nous adopter pour les prochains dix ou vingt ans? telles sont les questions que nous nous sommes posées tout récemment. . . En supposant que nos anticipations et les décisions qui en découlent soient valables, nous sommes assurés d'une industrie électronique en pleine expansion . . . C'est déjà le cas de cette industrie ailleurs dans le monde. C'est pour nous un défi et une occasion à saisir. En nous inspirant de l'expérience des autres, nous pouvons sauter des étapes dans notre progression. De la sorte nous pouvons bénéficier d'une technologie de pointe et avancer plus rapidement dans la réalisation de nos objectifs. » (17 fév. 1984)

L'industrie du textile est l'une des plus importantes dans le domaine des échanges avec l'étranger.

Le pays s'efforce de diversifier ses exportations pour réduire sa dépendance sur le secteur du textile mais en même temps, il doit protéger ce marché contre les importateurs qui tentent de réduire fortement les ventes[1].

Entre les entreprises, il existe une vive concurrence au plan des exportations. (K.14)

K.14

Marchandage pour l'exportation – articles à la pièce

Pendant qu'elle procède à des ajustements sur le plan intérieur, la Chine devra et pourra défendre ses relations commerciales avec l'étranger selon le principe de l'intérêt réciproque, et à des conditions qu'elle considère acceptables. L'expansion de la coopération commerciale et technologique se fera aussi longtemps qu'elle pourra contribuer au développement de l'économie de la Chine mais, comme l'a déclaré le conseiller d'État, Zheng Jingfu, « ces relations seraient gravement compromises si des politiques de restriction ou de discrimination étaient menées contre la Chine dans les échanges commerciaux et techniques, quels que soient les prétextes invoqués. » (15 oct.)

---

[1] Lorsqu'une discussion sur les quotas est intervenue avec les États-Unis en janvier 1983, par exemple, la Chine a cessé d'acheter du soya, du coton et des fibres synthétiques et a réduit ses achats de blé. Il en a résulté, en 9 mois, une réduction de 73 p. 100 de ses achats dans le domaine agricole en provenance des États-Unis. Le total des exportations des États-Unis vers la Chine fut réduit de 40 p. 100 ce qui entraîna un déficit américain de 246 millions de dollars, comparé au surplus de 652,2 millions $ en faveur des États-Unis l'année précédente. (*Globe and Mail*, 28 novembre 1983) Un nouvel accord sur les textiles a été signé en août 1983, comportant des termes acceptables pour la Chine.

CONCLUSION

Réflexion faite, le lecteur s'apercevra que le message qui se dégage des caricatures n'est pas exclusivement chinois. Les questions qu'on y soulève sont universelles et applicables dans des pays industriellement beaucoup plus avancés que la Chine. Ces caricatures nous confirment donc, que les Chinois sont des personnes comme toutes autres.

À parcourir ces pages se dégage l'impression d'un bien-être matériel croissant en Chine mais, en même temps, on constate l'apparition dans la société de certaines valeurs et de certains comportements jugés indésirables. En portant sur la place publique certains problèmes, et aspirations de la société, les Chinois font preuve d'un esprit de concertation collective inusité dans certains autres pays.

Cet effort d'introspection et d'émulation où l'on n'hésite pas à mettre à nu problèmes et faiblesses afin de les corriger caractérise probablement la Chine. Aux étrangers qui s'étonnent les Chinois répondent: «Il n'est pas dans notre intention de dissimuler nos erreurs et nos faiblesses, car nous avons confiance d'avoir en nous la volonté et les moyens de les corriger à bref délai.»

Ces caricatures révèlent les préoccupations de la période 1982 et 1983. Depuis lors, l'accent est passé des valeurs morales dans la société à l'effort accru de modernisation économique. L'important pour le lecteur c'est d'avoir saisi dans ces pages la signification des forces dynamiques qui animent un pays de plus d'un milliard de personnes décidées à accélérer l'effort de modernisation sans pour autant ignorer les conséquences sociales et culturelles profondes qui pourraient en résulter.